Dom Luciano,
o Irmão do Outro

Flávia Reginatto

Paulinas
Rua Pedro de Toledo, 164
04039-000 – São Paulo – SP (Brasil)
Tel.: (11) 2125-3549 – Fax: (11) 2125-3548
http://www.paulinas.org.br – editora@paulinas.com.br
Telemarketing: 0800-7010081

Hamilton Magalhães Neto

Educam – Editora Universitária Candido Mendes
Praça XV de Novembro, 101 – sala 27
20010-010 – Rio de Janeiro – RJ (Brasil)
Tel.: (21) 2531-2310
cmendes@candidomendes.edu.br

Maria Helena Arrochellas

Centro Alceu Amoroso Lima para a Liberdade – CAAL
Rua Mosela, 289
25675-480 – Petrópolis – RJ (Brasil)
Tel.: (21) 2242-6433
bolrede@terra.com.br

Candido Mendes

Dom Luciano, o Irmão do Outro

Dados Internacionais de Catalogação na Publicação (CIP)
(Câmara Brasileira do Livro, SP, Brasil)

Mendes, Candido
Dom Luciano, o irmão do outro / Candido Mendes. – 2. ed. rev. – São Paulo : Paulinas ; Rio de Janeiro : EDUCAM – Editora Universitária Candido Mendes, 2007.

ISBN 978-85-356-2136-5 (Paulinas)

1. Almeida, Luciano Mendes de, 1930-2006 2. Bispos – Brasil – Biografia I. Título.

07-8054 CDD-282.092

Índice para catálogo sistemático:
1. Arcebispos : Igreja Católica : Biografia e obra 282.092

2ª edição – 2007

Editora responsável: *Luzia M. de Oliveira Sena*
Assistente de edição: *Andréia Schweitzer*
Coordenação de revisão: *Marina Mendonça*
Revisão: *Anoar Jarbas Provenzi e Jaci Dantas*
Direção de arte: *Irma Cipriani*
Gerente de produção: *Felício Calegaro Neto*
Projeto gráfico do encarte fotográfico: *Wilson Teodoro Garcia*
Editoração eletrônica: *Manuel Rebelato Miramontes e Wilson Teodoro Garcia*
Capa: *Manuel Rebelato Miramontes*
Pesquisa iconográfica: *Ana Maria de Assis Mattos, Luiz Fernando Mendes de Almeida e Maria Pia Mendes de Almeida*

"Não passei um dia sem ser feliz."

SUMÁRIO

II – A Presença

III – O Recado

Introdução

A evocação de Dom Luciano se faz no tempo longo da sua presença. Não é a de uma biografia linear, mas da constante devolução a um agora em que sua trajetória se enraíza sempre em alegria e instigação. Não em consolo, nem em lembrança.

No tempo de despedida — da internação no Hospital das Clínicas até a entrada na UTI —, a força da vida se repartia a cada hora, tanto se reforçava no desejo de servir quanto se voltava ao quefazer, adiante, em Mariana.

Como não viver esse todo, e junto do arcebispo? As imagens da infância o cortam, no vai-e-vem de como brota a vocação, na perfeição da entrega e na imperceptível passagem sua à eternidade.

O velório seria absorvido também por essa presença de Luciano: "Dom Luciano vive". E o acompanhamento do seu povo na Sé de São Paulo, de seu Belenzinho, seguido das paradas em Belo Horizonte, Ouro Preto e, finalmente, Mariana, trouxe um impacto popular desses três dias só comparável, e já no universo político, ao enterro de Tancredo Neves.

A reminiscência paralela de tantos à sua volta nos deixa diante do recorte internacional de Luciano, após a Secretaria-Geral e a Presidência da CNBB, nas Comissões Pontifícias e na Secretaria-Geral, de fato, das Conferências de Puebla e Santo Domingo, no pontificado de João Paulo II.

A mensagem se manifesta — sem se traduzir numa obra escrita, que voluntariamente sacrificou — pela comunhão, em que o arcebispo de Mariana se transformou literalmente no irmão do outro. Ou nesse conceito tão moderno da santidade que nem sabe dela, tão longe foi a entrega, e que só permite uma leitura *a posteriori*.

Esse próximo vai à impressão digital de cada um, e a face do desmunido não se divisa pela caridade, mas pelo olhar que vê como reconhece.

Há que resistir à aura fácil do arcebispo e ver o quanto as posteridades convencionais são o contrário de sua presença. Não há repto para conservá-la, tanto quanto é impossível tentar contá-la ou repeti-la, nos lances de que ele seria o primeiro a deslembrar. A impaciência com o absoluto só se traduzia, sem que disso se desse conta meu irmão, na pergunta: "Em que posso servir?".

Como podemos nos dar conta da entrega, da presença e do recado de Dom Luciano?

I – A ENTREGA

O plantão do próximo

A santidade exemplar, para Dom Luciano, era a do arcebispo Van Thien, de Nha Trang e Saigon, preso durante treze anos, em 1980, nove dos quais em confinamento. Boa parte desse período passou em cela mínima, sem janela ou luz, arrastando-se à fresta da porta para respirar. O laço de vida era também o da entrada de insetos, minhocas e centopéias, que ele mal distinguia. Rememorava e cantava todo o seu repertório litúrgico — o Salve Mater e o Regina Coeli, assim como o Christus Vincit. Cantava, rezava e andava sem cessar no cubículo para evitar o marasmo final. Não enlouqueceu; tanto que terminou por contagiar os seus algozes, que acabaram por repetir o latim triturado. A entrega radical aí estava no vietnamita, só com o seu terço, na disposição-limite para o encontro do outro.

Na conversa perene desses nossos setenta anos, a palavra-chave de Luciano fica para mim como a de que "Deus nunca se deixa vencer em generosidade". É dessa revelação pelo próximo que se fez a vida de Luciano, no toque particular de cada encontro, a responder à angústia da cabeça ou à aflição do não ter nada, à expectativa trivial ou à partilha das doenças sem volta, ao luto, à procura do emprego, à última vigília, ao telefone sempre ligado à hora, à porta aberta a quem o chamasse — esse próximo múltiplo sem agenda e sem limite em que ele viu o Cristo, na fieira dos seus apostolados.

Da infância e do menino de rua, do réu de quem sabia o desvalimento, do encarcerado desde as visitas às piores cadeias de menores em Roma, ao lado do então secretário de Estado de João XXIII e Paulo VI, cardeal Cicognani. Da repetida e difícil conversa familiar, suas confissões e feridas recônditas. Da busca, a partir sempre do gesto inicial do diálogo com os evangélicos, à defesa irrestrita do ecumenismo, entendendo que caberia sempre à sua Igreja o primeiro passo. Das tribos indígenas, dos apinajés aos crenaques, que bateram seus tambores à espera da sua recuperação no Hospital das Clínicas e em sentinelas, hirtas, seus cocares e suas plumas, na vigília de Mariana.

Luciano, no ver o outro, chegou, sem perceber, ao toque da despossessão radical, na simplicidade do partilhar o último desconforto e o abandono de toda a amenidade do cotidiano. Raramente o avião. O ônibus foi sempre o transporte entre o Rio, Belo Horizonte e São Paulo, apertado no banco, em que chegava à última hora, para o longo percurso noturno entre os seus destinos. Na recusa sistemática ao uso da refrigeração ambiental, muitos viram, outra vez, o não se furtar o bispo à regra do desconforto da maciça maioria de seus irmãos.

A alegria no desconforto

O automóvel e seu Elias se mantinham como a exigência mínima do trabalho pastoral, no chegar à arquidiocese e, em pouquíssimos meses, percorrer todas as paróquias, por maiores que fossem a poeira ou o desatavio dos caminhos. Repetiu-o ainda quando, assumindo a responsabilidade de pedir alta do hospital de Belo Horizonte, foi a 400 quilômetros de Mariana, sempre no banco da frente, ao lado do motorista, ordenar um sacerdote. Esse próximo de Luciano não se disfarçava, na face sem leituras rápidas ou simplificações de trato. E sua memória, num eventual reencontro, era a da primeira lembrança reavivada: brotava a gratificação única, para quem o abraçava, da diferença de cada chegada, num tempo que era o de quem o procurasse, numa escuta a exaurir a aflição do outro.

Quantas rotinas e protocolos, viagens atrasadas, teve por esse plantão da esperança. Advertido por mais uma demora, respondia a um de seus irmãos: "Faço o que vocês descuidam. Se ouvissem, nesses casos, quem os procura sem olhar para o relógio, entenderiam que esta aflição se esvai mais pela acolhida, no tempo que leva."

Sua entrega se tornava possível pelo extremo da disciplina imposta à cabeça como ao corpo. Conversávamos desde moços sobre a lição de São Francisco de Sales, que só ao fim da vida descobrira que lhe bastaria o máximo de quatro horas de sono. Nem mesmo essas, de rotina, fruiu Dom Luciano. Repetiu o exemplo de nossa mãe em casa, na riqueza da meditação diária à noite, sentada, com o missal no colo, afinal adormecida.

Meu irmão herdara essa força, imposta à fadiga, do entoar, do vigiar, do manter o sorriso esculpido na face, mesmo que sucumbisse ao cansaço diante do último visitante. Mas ficava o alerta da volta imediata — nessa mola secreta do vigor de seu cântico na missa, como um entoar da alma, trazida a cada fímbria da voz. A mesma das palavras da consagração, no último elevar do cálice, a 8 de agosto de 2006.

O conhecimento pela entrega

Era essa mesma disciplina que passava à forma timbrada da comunicação, ao longo de um quarto de século, da tersa homilia da modernidade em que se transformaram seus artigos na Folha de S.Paulo. A limpidez do texto refletia, sem concessões, a palavra do filósofo e teólogo. Mantinha-se fiel à maior lição que transbordava da sua tese, sobre a "imperfeição da inteligência do espírito humano". O tema já pusera em causa o quanto o conhecimento, tal como pressentira o mestre da escolástica, exige intuição, esse "estar-no-outro", em que a via da entrega e do amor remata a abertura da cabeça.

Luciano antecipava aí a sua reflexão posterior quanto ao que a mãe sabe do seu filho, independentemente de qualquer efetivo petrecho intelectual. Dentro desse sentimento, que só brota à flor da vida no segredo da simplicidade, meu irmão me lembrava, ainda nos dias do Hospital das Clínicas, o quanto o autor da *Suma Teológica* alternava a mais rigorosa meditação com a ida ao campo, com todos os frades, livrando a terra das ervas daninhas e colhendo os seus frutos.

Nunca perturbou Luciano a viabilidade de um conflito entre ciência e religião. É a perspectiva de Bacon de que "pouca ciência nos afasta de Deus, muita ciência só nos aproxima de Deus". E, nessa visão da realidade, talvez a frase-chave que tenha articulado toda a vida do espírito de Luciano seja a que aprendeu com Bernard Lonergan. Não há leitura da realidade que não se faça, senão, pela busca do *insight*, dessa especial iluminação e disponibilidade do observador, inseparável dessa *filia*, ou de uma pronta abertura ao mundo, por entre as idéias feitas dos preconceitos e estereótipos. Tal disponibilidade radical foi a um enleio teológico marcado pelo socorro às virtudes teologais: era o da transformação pela esperança, que só a entrega do amor permite.

Merecer o olhar do desmunido

Esse erguer quem o procurava, Luciano já encontrara na Europa, na experiência do Arsenal da Esperança, iniciada por Ernesto Olivero em Turim. Irradiava-se o que começara na pastoral do seu Belenzinho, esse verdadeiro "pronto-socorro" no imediato atendimento que se presta ao desmunido. O Arsenal — literalmente nascido num antigo armazém de munições — oferece, a quem bate às suas portas, comida, leito, remédio, educação. Mas, sobretudo, não força quem lá chega a qualquer disciplina de recuperação, nem há agendas marcadas para deixar a casa.

A reinserção social — se possível — se dá pela força de cada um e se renova, a cada dia, pelo que seja, também na descoberta de cada dia, a tomada de fé dentro de si mesmo. Descarta-se a comiseração, em que muitas vezes se compraz a caridade. Diante de quem nada tem, não temos nada a dizer, nos repetia Dom Helder Câmara. Sequer chegamos a realizar os limites em que a destituição interna — abafada pelo préstimo sumário da assistência — é o que mais aparta o mundo dos homens.

Não sem razão, a santa preferida de Luciano é Gemma Galgani, a moça rejeitada pela ordem religiosa que queria professar e a fazer justamente dessa recusa e desse abandono a marca de pôr-se aos olhos de Deus. Tanto quanto São Francisco de Assis, Gemma, na identidade final, mereceu os estigmas no limite mesmo em que o corpo se pode penetrar da transcendência da despossessão.

É nessa dimensão da entrega levando à entrega que a vida de Luciano atestou a convivência com as suas certezas interiores, com a fé, em abrasão, e na descoberta, no outro, da plenitude do perdão, na consciência exata da falta, no que é graça logo e entrega, de novo. Saber, sem concessão, onde estamos prescinde dos ritos, do seu cerimonial, tanto quanto os homens de boa vontade caminham desimpedidos ao Reino.

Não conheço combinação de doçura com rigor como a de meu irmão, no oposto de qualquer permissividade, na vigília-limite em que a caridade nunca deserta da lucidez. Mesmo porque é num plantão final do estar como que diante de Deus que Luciano viu no sacramento da crisma a marca da presença da fé. Foi mais de 100 mil o número de pessoas que crismou, vendo como o específico sacramento, situado e referido na sociedade laicizada dos nossos dias, o revivificar do repto à prova da fé, tragado na máquina do anonimato e do conformismo contemporâneo. A crisma irrepetível — que Luciano lembrava, tantas vezes, nas suas homilias — não é só a maturidade do compromisso reexplicitado, mas o momento em que a promessa do batismo se refaz na lucidez do testemunho.

O último outro de Luciano

Entregue ao outro, convocando-o à grande reunião de reconhecimento sacramental, Luciano não logrou fugir ao *seu* outro, à maior dor pessoal, na perda de nossa irmã. Repetiu as visitas a Elisa, no desfecho do mal de Alzheimer e numa despedida de meses, por entre as rotinas da pastoral. Colava-se à cama de quem não lhe deixara um instante, durante toda a longuíssima convalescença de fevereiro de 1990, após o desastre na estrada de Ouro Preto, e nos tratamentos subseqüentes, no Hospital das Clínicas, em São Paulo.

Interagiam aí dois abandonos completos ao outro, à espreita do menor dos gestos dos convalescentes, do sinal do polegar ou do esforço do sorriso, sempre lido antes por Elisa, que não despegava da vigília. Se fosse ainda possível a Luciano o abatimento personalíssimo diante da morte, ele ocorreu quando nossa irmã fechou os olhos, nas suas mãos.

Não havia estado nas mortes de nossos pais e nem de nosso irmão Theo, devido à sua longa estada em Roma. Pediu-me, mais tarde, num hotel em Paris, que pudesse descrevê-las. Não queria o tempo de ruptura, mas o passo da continuidade interior, em que se volatilizariam os detalhes da distância, face ao que importava no relato da última convivência.

Nessa entrega ao próximo, Luciano pôde apurar, até o último escrúpulo — vindo da graça —, o não violentar o outro, aceitá-lo em bloco, até ao preço da tolerância com os seus defeitos, muitas vezes indissociáveis da identidade, pedindo no rompante para ser vista e reconhecida. Na atividade pastoral, abria mão, com seus assessores imediatos, até da eficácia do trabalho, ou dos resultados performáticos, em bem do respeito à visão de cada um, a crescer por mais que tortuosa, à empreitada comum em volta do bispo.

A rendição radical ao outro, por sua vez, lhe impunha o descarte de todo intervalo ou descanso na sua agenda. Inconcebível a idéia de férias, ou do lazer, ou, mesmo, de uma leitura para desfrute próprio, ou o direito furtivo à contemplação estética. Nesse mesmo contexto, inclusive, não se dava à consolação, em sua arquidiocese, de admirar o esplendor arquitetônico do barroco mineiro, nem ao seu refino, tal como se se rendesse a uma sofisticação da sua própria vida do espírito, como permite a fruição artística.

A serviço do imediato

Esse cânon de despojamento, como última eficiência, se refletiria na sua caligrafia absolutamente nítida, ou nos esquematismos de expressão trazidos aos famosos bonecos de Dom Luciano, com as abreviaturas para facilitar a compreensão pelo grafismo, em vez do discurso. Tratava-se de não perder tempo no que a intelecção pode sempre ser melhorada para favorecer, também, a disponibilidade. A que horas não esteve o telefone de Dom Luciano ligado, ou deixou de se expor às interlocuções mais difíceis à verdadeira entrega? A da mendicância, tantas vezes já travestida do profissionalismo da caridade, ou a da pobreza envergonhada, tão arredia e difícil na sua abertura, feita de uma circunavegação de falas e do dom do prelado de encontrar a brecha ao respeito humano e ao guarnecimento sofrido da alma?

O primeiro Luciano da família, pelo ramo de Mello Vieira, nosso tio, nasceu na França quando do auto-exílio de nosso avô, ao lado dos acompanhantes de Pedro II, até a revogação do banimento pelo Congresso Nacional, na Presidência Epitácio Pessoa, em 1920. Alistou-se na Força Aérea francesa na Primeira Guerra Mundial e veio a falecer como tenente-aviador, na queda de seu avião, em 1918, durante treinamento de combate, em Chantilly, ao lado do duque de Chevreuse, que sobreviveu.

Vivemos toda essa imagem em que a generosidade do serviço voluntário se marcava desse sacrifício, a embalar nossa infância. "Quero ser padre e aviador" — ouvi sempre de Luciano. O pilotar nada tinha de experiência aventurosa, mas da metáfora mesma de uma primeira entrega, na cabeça do sobrinho, que começava pela disciplina física, que levou naturalmente Luciano ao escotismo e a essa combinação da caminhada com o abandono de todo conforto e, desde menino, com a frugalidade para uma vida de vigília e de prontidão à emergência do outro, e seu socorro — *Semper paratus*.

O escotismo viveu nos anos 30, entre nós, a herança dos mais bem-intencionados dos colonialismos ditos esclarecidos, na associação histórica entre Rudyard Kipling e Baden Powell, saídos ainda das escaramuças das guerras na África do Sul, no empenho de criar uma mocidade desempenada, em completo arrepio da *dolce vita* de entre as duas guerras. Apostava-se que o idealismo pudesse prosperar, como condição heróica, nos valores do melhor do Ocidente, em que a conquista colonial de tempero britânico permitiu o desbravamento, o sentido de missão, o culto de uma superioridade natural desse "sempre alerta" no que se faça.

Vivemos a voga do escotismo na infância não sem termos ganho um sentido de despojamento, ou de uma ascese natural, em que se superporia aos exercícios do corpo o da intensidade de uma disciplina da alma. Luciano manteria, do Colégio Coração Eucarístico para o Santo Inácio, a marca do primeiro aluno, praticamente sem esforço aparente, carregado das medalhas, ano a ano, coroas de louros típicas dos prêmios da cultura inaciana, *ad majorem Dei gloriam*. Nem uma qualificação, mais a gosto, entre o desempenho das humanidades ou da língua e o da matemática ou das ciências físicas, em que, de toda forma, pude discernir em meu irmão uma preferência recôndita no seu maior apelo à abstração e a um raciocínio disciplinado.

O primeiro comungante

No retrato de primeiro comungante, Luciano respondia à imagem cuidadosa da grande data dos meninos do Coração Eucarístico de então. A farda de marinheiro branca, o vinco impecável, o missal à mão no genuflexório, sorriso já plenamente desenhado aos seis anos, o mesmo que vi na chegada, meio século depois, à "passagem de Mariana" e no encontro de seus primeiros pobres na arquidiocese. O cabelo na mesma suavidade rebelde, a pastinha logo desfeita, o destaque das maçãs da face, o gesto todo, nem contido, nem desatado. O olhar certeiro, para além da máquina, do menino da Honório de Barros, onde nasceu, e depois da Marquês de Paraná, nas casas de jardim entre o cimento e a grama de junquilho, cuidada por seu Graciano e suas enormes tesouras de aparar.

Por entre buxos, no arrebitado das arquiteturas vegetais da época, apertava-se o espaço para os automóveis de brinquedo, seus pedais e buzinas, a corrida inevitável entre os irmãos, cada um à direção do bólido. O jardim vinha, também, às primeiras poses das crianças, os grupos crescendo, até os sete filhos de dona Emília. As cadeiras de palhinha, as bolas, o fundo do abacateiro da Marquês de Paraná, ao lado dos galinheiros e do tanque.

Era o contato franco e contínuo das empregadas conosco; das primeiras amas-secas, a partir de Esmeralda, com o véu azul impecável, as crianças entre os braços, para as fotografias repetidas. Clemência, a última babá pachorrenta ao lado de Marthe Landalle, a acompanhante de minha avó e que não perdia tempo em nos empurrar sempre para o francês, no coloquial que nos tornou praticamente bilíngües aos 10 anos.

O idioma, em casa, somava-se à massa de gravuras e quadros de Paris, da Notre Dame como da fachada da Saint-Pierre de Chaillot, época de 1925, igreja da moda no quarteirão da Étoile, de fachada refeita em 1938, a responder ao neoliturgismo de então. Lá se casaram nossos pais e lá está, no panteão dos heróis, a placa de mármore de tio Luciano, morto pela França em 1917.

Nossa infância teve sempre uma cadência das festas e das comemorações dos anos 30, do carnaval ainda do corso e dos bancos das baratinhas abertos atrás, no seu longo desfile, da Rua do Russel à Avenida Rio Branco. A fantasia era, de regra, elaborada ocupação de nossas tias paternas, cada uma a competir no exotismo do traje. Luciano de holandês, ou de maquinista-ajudante, nessa galeria de instantâneos junto com Elisa. Nesses dias do espetáculo esperado, somavam-se às fotos de aniversário a chusma toda de primos e o cuidado das guloseimas derramadas sobre as sedas e papéis faiscantes da sala de jantar.

Festa, graça e missa

A infância, toda, seria marcada pela missa aos domingos, começada pela Capela de Nossa Senhora da Piedade, então conhecida como "Igreja dos Ingleses", hoje "dos Poloneses", quase à esquina da Marquês de Abrantes com a Praia de Botafogo. E dali para a Igreja dos Assuncionistas, na Senador Vergueiro, na torre apertadíssima do gótico adaptado ao material de construção moderno, desnudado, que continuava, no branco interno, nas estátuas ao pé de cada coluna e rematadas na limpidez litúrgica de Maria e de Cristo. É a Igreja da Santíssima Trindade, cuja invocação abstrata ia ao contraste com as demais igrejas do bairro, da Nossa Senhora da Glória, no Largo do Machado, à da Imaculada Conceição, em Botafogo, expressão já de um barroco eclético, numa, ou, estritamente, de uma cópia transplantada das igrejas dos arrabaldes de Paris, pontiagudas, querendo ser heráldicas, noutra. A relação de minha mãe com os sacerdotes franceses se fez de imediato, do padre Chérubin Artigue e Aléxis Chauvin ao padre Crispinus Krispijn, holandês, na contundência generosa de seu porte e voz.

Muitas vezes repetíamos a missa dominical, no compromisso de meu pai de assisti-la ao meio-dia na Candelária, porta da esquerda, sino à hora da consagração, irmãos de pôr muitas vezes o olho no relógio da pregação de monsenhor

Magalhães. Minha mãe obtivera do marido essa concordância em ir à missa, começando pela Igreja de São José, onde, inclusive, meu avô Candido se somou ao grupo, até a sua morte em 1939.

A marca dessa liturgia precisava-se ainda mais nas cerimônias da Semana Santa. E não creio que tenhamos tido, até a entrada de Luciano no seminário, um sábado sem a queda dos véus na Candelária e a retumbância do Aleluia. E muito rara foi a Sexta-Feira Santa em que não acompanhássemos a procissão do Senhor Morto, da Primeiro de Março à Lavradio.

À missa seguia-se o almoço na cidade, no antigo Mercado Municipal, para degustação de ostras, ou na casa de meus avós paternos, na Senador Vergueiro. Foi essa a mansão-arcano da infância de Luciano, dos lagos entrelaçados, das pontes, dos canteiros e do alinhamento de soldados de chumbo à beira d'água para as batalhas ou as paradas com as figurinhas trazidas por nossa avó materna da Europa: os soldados da British Army, os lanceiros, as metralhadoras faiscantes e os soldados indianos montados em elefantes.

O Coração Eucarístico e o violino

Não tínhamos ainda, no Coração Eucarístico, o entusiasmo pelo futebol, mas no colégio na Paissandu já havia as traves desiguais, no recreio cimentado atrás do casarão. O porão alto permitia representações, a partir do aniversário de *mademoiselle* Borguignon, a 29 de maio. Era a diretora belga da ordem sem hábito quem garantia a educação primária das famílias da Zona Sul, do Flamengo ao Jardim Botânico.

Mademoiselle Sophie, grega, as mãos longas de pianista e uma echarpe deslocada, sem nenhuma perda da sua distância, da postura heráldica. Dona Alice, no contraponto natural nas matemáticas e nas ciências, cabelo reto, os gestos, ao mesmo tempo, rígidos e atentos, impossível fugir à sua atenção. Pernambucana — já que o Coração Eucarístico começara no Recife — como dona Judith, em geometria, dona Elvira, a ecônoma, e dona Joana, a acudir os serviços e a arrumação imediata do colégio, das canecas numeradas nas prateleiras ao alinho das carteiras. Presença congenial era, sobretudo, a de dona Maria Gesteira, trazendo a marca patriarcal nordestina, madeira doce da voz, iniciadora das literaturas e a garantir uma intimidade do colóquio, tão raro à vocação de freiras no mundo, e a conquista dessa maternidade fora de casa para aquela meninada da pré-adolescência.

A boa educação musical vinha de par com o que se aprendia na Paissandu. Tanto fui conduzido ao piano — e logo deixei — quanto Luciano ao violino. Não esqueço o complicado inicial da postura, o equilíbrio terso do ato, um aprendizado em que não faltou a Luciano, inclusive, a quebra do braço aos 10 anos. Voltou ao instrumento e continuou até que a prática do escotismo o tirasse do salão da Marquês de Paraná e o levasse àquela emulação das escaladas, das subidas aos cumes do Rio, aos acampamentos repetidos na, então, ainda lírica Floresta da Tijuca. Luciano traria, aliás, para a naturalidade desse despojamento a infância severa, objetivamente espartana, em que fora educado na Honório de Barros ou na Marquês de Paraná. Casas antigas de mobiliário duro, nada de almofadas, ou mesmo espreguiçadeiras. Pé-direito inóspito e escadarias difíceis entre os andares. Camas exíguas, banheiros incômodos, expostos a periódicas faltas d'água.

Não era pela preocupação do conforto sensível que nossa mãe via o real dever da educação e do preparo dos filhos. Luciano nunca deixou de ser o primeiro aluno, numa espécie de obrigação natural, esperada pela leitura das notas na sala de jantar. Duras, as cadeiras de palhinha, o lustre comprido, a iluminação mal assestada. O que importava, sim, eram os cursos particulares, o aprendizado do inglês com *mademoiselle* Marie, ao lado do francês, vindo com Marthe Landalle, nas viagens sucessivas de nossos avós, a casa forrada de livros, as enciclopédias, nas quais os verbetes da Larousse permeavam nossa curiosidade de adolescentes.

Na Luz Perpétua e com os meninos santos

A Marquês de Paraná marcava a atmosfera dessa religiosidade intensamente contemporânea e francesa de nossa mãe. Os meados dos anos 30 eram os da expectativa da beatificação de meninos no odor de santidade, de Guy de Fontgalland à beata Imelda, no empenho de encontrar, no grão do seu tempo, uma adolescência em presença de Deus e, exatamente, no seio do mundo. Era permanente a leitura do famoso alfarrábio *Na Luz Perpétua*, na encadernação vermelha grossa da evocação do santo do dia. Repetia nossa mãe a Luciano que se arriscara a chamar-se, de acordo com o patronímico, de Melchior, Gaspar ou Baltazar. Com efeito, o do tio, de quem herdara o nome, correspondia ao calendário litúrgico de um 7 de janeiro, e por poucas horas não nascera o primeiro Luciano no dia dos reis magos.

Toda essa busca de uma santidade moderna levava minha mãe ao conhecimento das vidas em clima de pré-canonização, como, afinal, Catarina Labouré, ou Gemma Galgani, depois a santa da grande entrega de Luciano, a que se agregava o fascínio pela reflexão intelectual de Elisabeth Leseur. Repetia-me a marca especial dessa espiritualidade intimista face à máquina do mundo, já a caminho do anonimato e da solidão: "*Toute âme qui s'élève élève le monde*".

Essa proximidade de Emília com o laicato francês vinha do movimento noelista, vivido por minha mãe em Paris às vésperas do casamento e que trouxera para o Brasil como semente de novo apostolado. Continuava com o nome francês, o "*Noël*", e toda quinta-feira tínhamos em casa, no salão da Marquês de Paraná, a reunião de senhoras a discutir esse começo de compromisso social da burguesia carioca e da preocupação em ligar a boa obra à espiritualidade, nessa atmosfera antecipada à Ação Católica. O grupo encontrava-se em torno de "Emilinha", cabendo-lhe também a direção da revista *Natal* e sua mensagem para um catolicismo talvez por demais instalado. Buscava a religiosidade manifesta de combate ao respeito humano, bem como a exigência, sobretudo para a mulher nos anos 30, de assentar a reflexão de uma Igreja no tempo, ao estilo do pontificado de Pio XI. Começava, então, essa mobilização do laicato, sobretudo feminino, nesses países da cristandade tantas vezes deixados ao fato consumado da fé e das suas boas consciências.

Ad majorem Dei gloriam

O Santo Inácio de Luciano tinha como prefeito o padre Coelho, da voz maranhense de comando, no gesto largo da arregimentação das filas, da disciplina dos recreios e dos alunos retidos, em pé, por meia hora após o fim das aulas. Tempo ainda de grande presença dos sacerdotes, dos mestres de então, padre Morganti, padre Gomes, padre Chabassus, ao lado das figuras do nome no confessionário. A do padre Theyus, belga, em química, do padre Cerutti, para apologética, e, de vez em quando, em prática piedosa nas salas do estúdio, do padre Arlindo Vieira. Matemática era com o professor Dutra; português, com José Vieira de Lima; francês, com José Augusto Gonçalves. O começo da literatura vinha com Augusto Rainha, e recebíamos na época as primeiras aulas do professor Antonio da Silva Mendes em geografia ou de Germano Muller, recém-saído de convento franciscano, de latim. Fundamental, entretanto, era a presença do padre espiritual, ao lado do padre-reitor e do padre-prefeito.

Nenhuma influência talvez tenha sido maior em Luciano do que a desse religioso paulista, o padre Félix de Almeida, irmão de Abílio, o teatrólogo, e formador básico do que fosse, no Santo Inácio, o despertar da vocação religiosa. Juntava o padre Félix o absoluto à vontade do encontro, com uma sensibilidade, se não um carinho, raros à distância natural dos religiosos da Companhia.

A ação do padre espiritual vinha quase, também, em contraponto ao começo, à época, de um esforço vocacional ostensivo desenvolvido pelo padre Murilo Moutinho. Rematava-se esse empenho, ao lado da ênfase nos retiros, na criação do Aloisianum, começado na Rua Humaitá e, enfim, instalado no grande casarão da Rua Bambina. Tratava-se da difícil experiência de recrutar vocações na classe rica e abastada do Rio de Janeiro, em resultados previsivelmente limitados no chamado aos alunos do colégio. Mas, significativamente, jamais se cogitou da ida de Luciano a esse preparatório do seminário.

A vocação crescia, no diálogo com o padre Almeida, com a simplicidade e a garantia do encaminhamento, a seu tempo, diretamente para Friburgo. Nesses meses de 1945, 1946, nada pressenti em Luciano no passo a dar, nem dúvida, nem demora. Tudo ficava no íntimo da conversa com minha mãe, sem pressentimentos nem qualquer mudança no cotidiano doméstico. Era o tempo em que, ao lado do escotismo, fomos aos exercícios físicos do Forte São João. E vivíamos, os dois mais velhos, o arranque da adolescência, Luciano mantendo-se, de saída, atarracado, mas de logo a ombrearmos a altura, quando se dirigiu ao Anchieta.

A tarde na Marquês de Paraná prolongava o colégio, nos clássicos deveres de casa. A frugalidade da comida se interrompia aos fins de semana pela rabada dos sábados e o cozido dos domingos. Era ainda o tempo também de um excesso natural de empregados. E não sem razão, instintivamente, o último gesto de Luciano ao sair de casa foi o de despedir-se de Rosa, a cozinheira, tanto quanto repreendeu-nos por um trato às vezes ríspido que pudéssemos ter com as empregadas. Nas pouquíssimas visitas de após a ida para Friburgo, não escondia uma recém-sensação de estranheza no se ver servido à mesa, instintivamente querendo fazer o seu próprio prato.

A vocação sem estrépito

O anúncio da vocação veio ao fim do primeiro ciclo dos cursos secundários, na revelação do que há muito eram as certezas e as confidências entre Luciano e mamãe. Meu pai recebeu a notícia levantando as naturais reservas quanto a tempos, ainda, de meditação, pelo menos até o fim do colegial. De logo removidas pelas certezas tranqüilas do filho. A convicção se desenvolvera pela assistência do padre Almeida, na sucessão das conversas nos corredores do Santo Inácio e, sobretudo, dos retiros espirituais na Gávea.

Fomos todos no Oldsmobile creme, dirigido por meu pai no longuíssimo caminho para Nova Friburgo, na estrada ainda de terra. Deixamos Luciano à porta do Colégio Anchieta, onde o reencontraríamos duas semanas após, no rigor já da batina do seminário, faixa apertada, o cabelo rente, da entrada em ordem.

O Anchieta acolhia Luciano, o convento álgido na imensidão do seu pé-direito, os banheiros longe, as esquinas do quadrângulo enorme, os dormitórios duros. Imagens acesas, mortiças, as longas mesas de comida escassa e repetida, a entoação dos silêncios das refeições, entre as leituras canônicas.

Foram muitos os que viveram no escolasticado as primeiras alegrias que representavam esse encontro com Luciano jovem seminarista. A abertura, a convivência e a confidência, o repartir-se a intimidade dessa iniciação espiritual. Muitos também deixaram o seminário ao longo dessas etapas, e todos guardariam a lembrança dessa vocação sem dúvidas de meu irmão. E todos, nas vidas que trilhariam a seguir, veriam como decisivo o vinco do encontro com Luciano. De logo, o que se deparava era a naturalidade do caminho e as formas de responder à vontade de Deus, independentemente da permanência na vocação para o sacerdócio. Não houve, nos tempos do seminário menor de Luciano, quem deixasse a ordem sem manter relação com o antigo companheiro, a realizar o rumo tomado pelas suas vidas, de retorno ao mundo cá fora.

No Colégio Apostólico — e são tantos os depoimentos de seus colegas —, a naturalidade de um primeiro abraço com os noviços continuava o carinho e o afeto domésticos, deixados no seio da família, de onde passavam à dureza dos dormitórios do Anchieta.

Repetiram-se os depoimentos sobre a busca de meu irmão pela pasta de dentes ou do remédio contra a dor esporádica e sobre a capacidade que tinha de se antecipar, na farmácia precária do seminário, ao que fosse a necessidade do colega, a, sobretudo, acompanhar a ingestão certa das pílulas, ou sugerir um conforto, ou um repouso franco, sem os escrúpulos da disciplina.

Vivia o que era já o grande salto, feito logo nesse noviciado, à profissão inaciana, sem psicologismos, nem atenuações. Estaria aí, também, a origem do dom de meu irmão de antecipar-se ao que via no olho do colega, antes da revelação ou do desabafo. A entrega se dá nessa sensibilidade para a imediatice, e esta talvez só seja possível na visão integral e de princípio do que se vê como a ida à vocação mais do que a uma renúncia do mundo.

O imaginário pré-Anchieta

O vinco da meditação inaciana, que crescia sobre as leituras formais dos breviários e das preces canônicas, começara no colégio da Rua São Clemente, no clássico estilo ovante do santo e da sua convocatória à batalha espiritual. Ficou-nos da infância o chamado ao "levantai-nos soldados de Cristo, sus correi, sus voai à vitória". Ou às "chagas de Cristo", sua proteção, seu inebrio.

Uma marcialidade espiritual perpassava nas salas de estudo do Santo Inácio, ou na missa dominical, uniforme de gala, sapatos brancos, na opulência dos mármores da igreja, diante do barroco da imagem do santo patrono, lembrando a espada faltante à estola, absorvendo os nossos olhares. Esse contemplar abria-se à especial disciplina de que Luciano sempre repetiria o mote-chave: o discernir como alvo dessa reflexão interior, que não se permitiria os devaneios e levaria até a uma pedagogia da representação do relevante, nessa busca da presença divina e seu recado no cotidiano.

Fomos aos mesmos cinemas e lemos os mesmos livros que forraram um mesmo imaginário. Vimos juntos os grandes épicos de Cecil B. de Mille, como também *Gunga Din*, *A Carga da Brigada Ligeira*, *Lanceiros da Índia*, e o nosso primeiro filme, o documentário sobre a explosão do Krakatoa, no Cinema Glória, na Cinelândia. Lemos *Winnetou*, *A Ilha do Tesouro*, *Os Cavaleiros da Távola Redonda* e passamos pelo *Tesouro da Juventude*. Acompanhei o reservatório interior original de Luciano deste mundo, que não deixou, nunca, como primeiro referencial da meditação ou do confessionário. Não se marcou Luciano, curiosamente, por nenhuma exigência de adensamento desse primeiro repertório, contemplado na maturidade, a reforçar a visualização instintiva da vida pregressa para perseguir os "sinais dos tempos".

Nem perdas, nem reminiscências

Não me lembro de reminiscência, de perdas, nem de saudades de situações, a seguir ao seu ingresso no Anchieta, mas tão-só de perguntas sobre a saúde, lembranças da família e de seus colegas de colégio. O que ficou, sim, foi o calendário vigilante na agenda de bolso, o absoluto cuidado com as datas de cada um da família, ou muitas vezes dos santos da mesma data. E não creio, até à sua morte, que nenhum de nós, os parentes ou os amigos de sempre, deixasse de ter, no dia, um telefonema de Luciano, mesmo em hora mais difícil, com um primeiro pedido de desculpas pela impertinência. Era a ligação do padre que mantinha, entre nós, a lembrança da data dos outros e, sobretudo, a de nossos pais e avós, nascimentos, mortes, casamentos. A agenda do bispo passava a ser, assim, a melhor garantia da nossa própria lembrança desse viver no tempo de esquecimentos e das desculpas tão fáceis para neles perseverar.

A lição inaciana logo: o discernir

Valia-se, sim, da sensibilidade imediata do outro e a esse mundo logo aberto à sua pronta rememoração. Era como se, no debruçar-se sobre o próximo, Luciano fosse a escuta que não precisasse refinar o dito e entendesse o silêncio da frase interrompida, ou do circunlóquio, desnecessitado do crivo da explicitação ou do seu repetir.

A meditação surgia como marco da exploração inaciana da alma, que fez de Luciano, naturalmente, o mestre da terceira provação da ordem no Brasil e lhe deu toda a propedêutica dos exercícios espirituais e dos retiros.

É difícil encontrar na história hoje da Igreja entre nós quem mais se tivesse entregue aos retiros do clero, em que via o cerne, mesmo, da tarefa do sacerdócio e da garantia da vida espiritual no universo da secularização e da invasão mediática. O livro em que decantou essa experiência marca, exatamente dentro da recepção da melhor modernidade, essa combinatória dificílima da disponibilidade física para a meditação, da bem-aventurança do silêncio que reclama e do lento e regrado caminhar da reflexão por entre o recado espiritual e a abundância biográfica no encontrá-lo e permitir o encaminhamento para a ascese. Luciano traduz, por aí mesmo, o próprio imo da tarefa pastoral, que vai ao desatar da alma, a preceder os testemunhos, as tensões sociais ou o recado litúrgico em toda a opulência de sua comunicação.

Esse encontro instantâneo, como o de Luciano, precede todas as questões da abertura ao nosso tempo e da provação do cristão, na atitude pastoral voltada ao primeiro grito do concreto, que será talvez a sua marca, que é, antes de tudo, a de servir. Prisão de padres durante o governo militar, expulsão de indígenas, opróbrio da criança de rua, revolta aos maus-tratos nas prisões, atentados silenciosos e contínuos à exposição da velhice ou da deficiência física são exemplos. A Luciano importava o amparo ao ser-em-situação, o primeiro cuidado com a carência, pedindo o outro. Não precisaria do protesto, nem da denúncia para ser presença, e depois testemunho, quase por acréscimo, imperceptível.

A menina de Fra Angélico e o combatente de Pamplona

Ordenado, Luciano se fixou na imagem menina da Virgem de Fra Angélico, leve mordida nos lábios, testa de quem vai receber a Anunciação, intocada de tudo que não seja a graça e a disponibilidade, que desabrocha. É a imagem que acompanha a vida toda de meu irmão, repetida na consagração episcopal e no Jubileu de Mariana, por certo o encontro invariável de todas as suas orações. Todo o contrário do sofrimento ou do transporte místico ou da última solenidade. Uma alegria-menina da força da surpresa, o olhar que sabe, que discerne.

Não tenho dúvidas de que essa última virtude, entramada ao longo da formação dos jesuítas, era o que tornava sempre luminosa, aonde ela chegasse, a conversação espiritual com Luciano. Inácio de Loyola, o "combatente de Pamplona", ensinou que não havia labirinto de alma que se furtasse à decisão. As demoras ou consolo da dúvida não elidiriam o imperativo do absoluto como aventura de liberdade.

Nesse modelo de conjugação extrema, da lucidez com a entrega, não haveria fugas, nem perplexidades, nem transportes, na caminhada clara em que Luciano repetia o exercício inaciano. Era como se guardasse essa musculação da alma sempre, em todo o contrário das permissividades da divagação interior. Cuidadosa com os arroubos, a busca dos conflitos reais da alma — para a qual o "guerreiro de Manresa" reconheceria sempre o melhor curso — não se confundiu com o lampejo místico sem nenhuma condescendência ou atalhos da vigília, no roteiro que o discernir lhe impusesse.

Nenhum psicologismo permaneceria nessa contemplação interior, em que o próprio do guerreiro é não deixar lusco-fusco à nitidez em que a vida se corta sempre em relevo e a consciência não tem escape.

Não encontrei paralelo, como em Luciano, dessa conjugação entre reflexão interior e o que Santo Inácio veria como uma provação e o conjunto desta como uma escultura de vida, em que o jesuíta requestionaria sempre a sua entrega, liberta de duas tentações: a do hábito do "mais difícil" e a do escrúpulo entendido como uma quase preguiça de uma permanente reproblematização interior, evadida do nó e de seu corte dentro da ascese. Não sem razão, talvez, a angústia dessa problemática pôde fazer de Dom Luciano o conselheiro das esfinges vocacionais, pós-sacerdócio de tantos de seus colegas.

Antes de sair de Friburgo, realizou em ato público, solene, fora das práticas de uma faculdade eclesiástica, o exame *De Universa Philosophiae*, colando grau com louvor máximo de licenciado em filosofia. Veio-lhe, de logo, a tarefa de orientador de estudos dos seminaristas do Colégio Pontifício Pio Brasileiro.

A ordenação peregrina

Seguiu Luciano do Anchieta para Roma, no cumprimento dos cursos de teologia na Gregoriana. Morava no Pio Brasileiro, com os cursos diários alargados pela freqüentação, ao lado da capela da universidade, da Igreja de "Il Gesù", da casa-mãe da Companhia de Jesus.

A rotina se desdobrava entre o curso e a repetição, logo, das matérias aos companheiros e a prática da visita aos desmunidos, iniciada pela assistência aos meninos prisioneiros de Porta Portese. Viria, finalmente, a ordenação a 5 de julho de 1958, na Igreja de Santo Inácio e pelas mãos de *monsignore* Luigi Traglia, bispo-prefeito da Arquidiocese de Roma.

A cerimônia se completava com a visita ao papa Pio XII, no flagrante em que é difícil encontrar melhor imagem de transbordo do que a de meu pai fitando o pontífice, minha mãe de perfil, a face coberta pelo véu, no enlevo todo da figura. Na sala, poder-se-ia também reencontrar a imagem da minha avó, a condessa Candido Mendes, já octogenária, mas decidida à viagem, e chegando ao salão pontifício amparada aos ombros da família.

Ao lado de minha avó, estavam nossa tia Mariá e sua filha, ambas então residindo em Roma e que acolheram nossa avó para a estada. Fomos todos os irmãos, deixando no Rio apenas Antonio Luiz, então em pleno serviço militar. Vivemos momento intenso no périplo romano, das basílicas aos museus e às catacumbas, onde lembro de nosso pai, em Santa Priscila, aflito com o aperto dos espaços: *dove é l'uscita*?

Saímos da cidade de automóvel até Paris, na riquíssima rota no norte da Itália, da Provença, passando necessariamente por Lourdes e pelo litoral a partir de Bordeaux, até La Rochelle e daí cortando até a capital. Na visita à Gruta de Lourdes, voltamo-nos para meu pai, silencioso, e lhe perguntamos sobre a sua oração, ou pela súplica à Virgem. "Não vim pedir, mas agradecer", nos disse.

O roteiro parisiense envolveu a hospedagem da família no Hotel de l'Arcade, reminiscência da estada do imperador. Voltávamos aos lugares da infância da minha mãe, no 34, Avenue d'Iena, onde ela viveu até os vinte e cinco anos, o Colégio da Assunção, claro, Notre Dame du Sacre Coeur e Saint-Pierre de Chaillot.

Depois de ordenado, Luciano passaria a exercer o seu ministério na Alemanha, continuado pelo estágio na França, na Rue de Grenelle e em Chantilly, onde realizou a terceira provação e completou a sua tese.

No retorno ao Brasil, três anos depois, viu-se confiado, na Via Anhangüera, em São Paulo, à responsabilidade acadêmica com a nova Faculdade de Filosofia e Teologia Nossa Senhora Medianeira, aberta pelos jesuítas. Viveu a expansão única da supermegalópole e a chegada de Dom Paulo Evaristo Arns à frente da direção da arquidiocese. Abria-se a um novo apostolado de massa, que proveria com o apelo inédito às ordens religiosas e, em especial, aos jesuítas, para atender aos novos desafios da Igreja, que respondia à convocação de João XXIII.

Referia-me o padre Arrupe, já em tempos de João Paulo II, o pedido feito pela Santa Sé para que se entregasse Luciano a esse novo trabalho de frente e legitimamente inovador ligado aos marginalizados da Grande São Paulo. O Belenzinho seria o seu lugar de desafio e esperança, na área talvez mais desvalida do leste de São Paulo e do descarte das ondas migratórias no abandono radical, mais do que como pobres cidades-dormitório.

Luciano encontraria aí a demanda da infância abandonada no seio da marginalidade social. E daria início ao trabalho pioneiro na Pastoral da Criança. A ordenação episcopal por Dom Paulo abriria o caminho pelo qual muitos dos seus colegas jesuítas foram também ao episcopado, nesse retempero do dinamismo da Igreja pós-conciliar, pela força das ordens regulares trazidas à tarefa diocesana. Foi o que ocorreu à ocasião com Dom Benedito de Ulhôa e Dom Clemente Isnard, dos beneditinos.

Da cura do outro, pressentido no seu desamparo nas cadeias romanas, passava Luciano ao desvalimento radical, que a marca do progresso do coração de São Paulo trazia, como seu contraponto, à esperança do Brasil da legítima promoção do fim do século XX.

A entrega da cabeça

A tese de doutorado, a que falta parcela do texto de sua sustentação, é obra que aponta aos itinerários deliberadamente proscritos, sem seqüência para uma vida que se quisesse como de faina intelectual. Desde Roma, Luciano inclina-se, no trabalho de inteligência, ao serviço da comunicação da verdade, e não ao de sua exploração continuada.

Marcava, então, *sub specie* da entrega, toda renúncia à elucubração do raciocínio e do ir adiante nos reptos estritamente abstratos de interrogações sobre o avanço das ciências face ao depósito da fé ou os questionamentos do mundo propostos pela pós-modernidade ou pela exigência epistemológica cobrada ao *corpus* do conhecimento.

A tese trazia, de São Tomás de Aquino, a certeza do reenvio sempre da verdade, entre a filosofia e a teologia, tal como no melhor espírito conciliar viu na exigência da fenomenologia dos "sinais dos tempos" o que fosse a marca da encarnação, na história que se faz dialética, afinal, da esperança.

Nesse mesmo passo, abriu-se ao ecumenismo, nas primeiras lógicas da salvação dos "homens de boa vontade", como sabia dos antropocentrismos, de que ainda se revestiam as doxas, ou da melhor ciência, para conhecer os seus limites e jogos lingüísticos na afirmação da transcendência. Após o *opus* da tese — e dos graus máximos que obteve —, Luciano instrumentou a cabeça àquela capacidade lógica nascida do especialíssimo discernir inaciano. A limpidez em seus *distingus* somava, à clareza abstrata, a absoluta neutralidade do expor pontos de vista para a sua compreensão.

Luciano levara ao exercício-limite da cabeça o que já era uma disposição de vida e nela o que requereriam da intelecção uma opção de entrega e o *ethos* do serviço. Chega ao extremo do que na filosofia da Igreja, através de todo o *corpus* escolástico, defrontava o imo do pensador. Não se pouparia da implacabilidade do exame mesmo do entendimento, na riqueza única em que o Aquinate se pergunta, no plexo do conhecimento, sobre a dialética mais exigente de remissão entre a realidade e o conceito: da apreensão fundamental e na intelecção, o acesso à verdade.

São Tomás entende essa operação num momento triádico: o assento sobre a realidade empírica dos seus universais, e a seguir — no que o rigor do Doutor Angélico tanto seduz Luciano — a devolução ao concreto como ponto de partida, arrematando o desenho da intelecção.

O amor como conhecimento radical

Fascinava Luciano o quanto, em todo esse processo, podia entender a operação da racionalidade também do prisma do conhecimento do particular, a partir da primeira percepção. A verdade do conhecimento ultrapassa sua primeira impressão. Manifesta-se pela ponte de comunicação, em que se revela como "ser-de-entrega". Luciano se empenhou no levantamento das fontes, a conferir o portento intelectual do tomismo. Explorou o lado obscuro, que o esplendor ostensivo da razão poderia descartar. Aplicou-se ao conhecimento pobre, mas não menos exigente, da manifestação desse pouco, que é também infinito, e liame dos homens.

Não é outra coisa, no que chamaria de imperfeições do conhecimento em São Tomás, o que Luciano procura nesse "mais" de verdade que a operação intelectual deixa ao longo da travessia, descartando esse *plus* de acesso ao mundo, em que o outro não é um fantasma do universal, mas o único da sua verdade.

Luciano valorizava aí, e justamente nessa comunicação dos chamados "espíritos ínfimos" da nomenclatura escolástica, o que é a verdade do sinal por sobre a do conceito. E remetia-se à filosofia grega para insistir na sua diafania. Assim, na riqueza do seu estudo na Gregoriana, sob a direção-geral do padre De Finance, reconheceu-se entre tantos mestres, na proposição de Bernard Lonergan, defendendo a exigência da verdade nascida de seu *insight*. Foi esse o conceito peregrino que alimentou toda a vida intelectual de Luciano, naquilo em que o filósofo jesuíta via como o necessário remate do holismo dentro da apreensão da realidade. O entendimento do outro não remete apenas à contemplação da própria vida interior, mas aporta o contexto como iluminador do conhecimento, dando sentido ao toque do uno dentro da visão do todo.

No preparo da tese em que deveria por dever emprestar o máximo do seu talento especulativo, Luciano ao mesmo tempo dedicou-se, com seus colegas da Gregoriana, à tarefa de repetidor de escolástica, sempre a retomar a metodologia desse pensamento, suas figuras, seus caminhos de raciocínio. Na pressa de encontrar o conhecimento pelos curtos-circuitos da sua evidência, levava para Roma também o esquematismo das suas garatujas, dos bonequinhos, a se transformarem tantas vezes em mediadores da apreensão do essencial, protagonizado na figura, a suprir o conceito e a palavra.

Existia pois, de começo — e no arranco de sua vocação —, o último propósito desse chegar ao outro e ao que se agregasse ao conhecimento puro da ação da pessoa e à sua escuta. Não há referências ao *opus* magno de Luciano no eixo subseqüente de sua vida do espírito, nem pude voltar a debatê-la. Ficou a tese como dever cumprido, e sua própria edição se fez uma trintena após e, inclusive, sem a sustentação junto aos especialistas da Companhia de Jesus e da Gregoriana, em Roma.

Exílio de Deus e transcendência

É ainda à disciplina inaciana, perene a toda introspecção de Luciano, que se devolve a questão-chave: o discernimento passa pelo heroísmo, mas este não se furta à visão extrema das razões de vida e de Deus. O lidar com essa presença não se confunde com a expectativa dos perdões, mas pede uma perseverança pela transcendência. Para quem tivesse o prêmio do discernimento, não há exílio divino de qualquer condição humana — repetiria Luciano. Não há corte pela negatividade do pecado, mas um diálogo, a qualquer custo. O abandono do Gólgota reclama a interpelação posterior, e a entrega gera entrega, e a permanência da confiança. Difícil encontrar quem, após a saída de tantos sacerdotes das ordens, mantivesse o laço de verdadeira comunidade com seus sempre colegas de presbiterado. O *insight* é testemunho antes da consciência, e a concretude do ser no mundo precede a "vida da graça".

O mistério está na atmosfera em que o cristianismo se rende à mesma graça como vigília para o discernimento. É o que implica as perplexidades da nossa contemplação, imputáveis a uma pobreza ainda circunstancial da intelecção ou às limitações fenomenológicas dos "sinais dos tempos". A busca da transcendência como entrega adiciona o entendimento do ser no mundo como um sacramental de lucidez. Seu remate é a chegada ao discernimento na evidência radical, ou o desvelamento da realidade por essa entrega-limite. Sua falta se manifesta na carência do homem de cancelar *in extremis* o transcendente, na fadiga de um último impulso do conhecimento. Ou seja, na aceitação agonística da finitude, em que nos exilamos nesse contingente intransitivo.

Para além do temor divino

Interrogação talvez mais rica para uma vida espiritual — em que tudo é graça porque, de fato, tudo é entrega — seria a pergunta, hoje, pelo último dom do Espírito Santo, definido como o "temor de Deus" — e não como o seu amor. No quadro do suporte histórico do discurso cristão, repercutiria, ainda, a prática ascética, antes de seu arrebatamento. Esse temor experimenta a distância da contingência diante do impulso ao transcendente: cancela o ir adiante, só possível na entrega. O que importa é o *sursum* e não o apartamento ou a distância. Tudo é graça nessa ascese intemerata, como não há irrelevâncias ou momentos refugados pelo "temor de Deus" face ao ser da vida e sua memória.

Até onde toda a propedêutica moderna da contemplação interior se desfaz na ritualística ou na solenidade desse reconhecimento, tal como se se exigisse uma ribalta ao olhar de Deus? É mister também que o discurso da entrega não se troque pelo olhar do temor, a impedir o que uma vida realmente em oferta exija de uma seqüência sem cortes. No penúltimo dia antes da sedação de Luciano, no Hospital das Clínicas, pude juntar a sua mão à minha, braços nos braços, sem contagem dos minutos, como se o silêncio virgem ganhasse o seu direito ao encontro, depois do terço ou da litania.

A mão vinha fresca, por entre as aflições dos curativos, das injeções, de uma plenitude do corpo escapada à doença e aos seus reptos. Era como se, sem sequer permitir-se uma despedida, o entrelace dos dedos desse tudo do entregar-se, no interlúdio de eternidade, do jogo da vida funda do sacrifício perfeito, escapado às aflições da dor.

Luciano sem *fiorettis*

Luciano continuava nessa quase levitação do contínuo do sofrimento das feridas dos tornozelos, a sempre se reabrir, após o desastre; das pernas laceradas, após tantas operações no Hospital Felício Roxo; do andar baqueado — e sempre tão carinhosamente disfarçado — pela quebra das pernas ou pelo mal-sentar, em que velhas dobraduras do trauma de 1990 jamais lhe extraíam um esgar ou uma mordida de lábios. A postura leve, sempre, de quem não quer incomodar o outro, pela aparência de qualquer sofrimento ou partilha do incômodo da dor.

À frente de todo entravo do corpo, não deixava que lhe abrissem a porta do automóvel, nem pusessem as maletas nos compartimentos dos aviões. Da mesma forma, não se desgrudava da pasta marrom, cheia, ao limite, sem espaços interiores, repletos tão-só do mínimo da roupa, do remédio, do breviário, da correspondência urgente da vida apostólica.

O couro, a fivela suada, o objeto quase transfigurado no seu peso, como se, exato, permitisse o porte pelo bispo, recusando as ofertas à sua volta. Pasta-mala estrita para as viagens ao exterior, exatíssima no despojamento desse passageiro que jamais, nos aviões internacionais, aceitou a primeira classe ou a classe executiva e tantas vezes trocou de lugar para deixar uma família junta ou uma pessoa idosa mais confortável. Não há *fiorettis* de Luciano, nem se somam, num observador impossível, essa sementeira em que, aceita a regra da vida do pastor, seria de prever o gesto diante de qualquer desconforto pressentido do próximo.

Prazer, desejo, entrega-limite

O que estaria em causa, sim, é saber até onde essa extrema renúncia à vida como fruir traduziria a experiência-limite e poria à última prova a entrega, que não se detém no seu prazer. Não é, pois, nem a função mística, nem a da antecipação do reino o que acudia à dita e confessa felicidade de Dom Luciano. Respondia, sim, ao "sacrifício perfeito", no feito sem retribuição, no que se pode aproximar do absoluto, a talvez encontrar, na entrega-limite, o que a excede e permite à plenitude a sua metáfora.

A santidade exprime essa antecipação da transcendência, ensejada à nossa condição — em que se consome a vida como desejo e a posse e o fruir se trocam pela pletora ou exaustão do contingente. O discernimento inaciano conduziria o fio da lucidez no transporte da vida interior à consciência.

Nesse *sursum*, nossa condição de ser-no-mundo chega à sua completude sem se exigir como repto ou superação inacabada, em que divisamos o absoluto como a terra prometida. Essa *virtù*, avançada na proposta inaciana, fica na base do dia-a-dia de uma vida em oblação como a de Luciano. Sua alegria nada tem do fruir o sacrifício da vontade, mas da rendição à plenitude, como encontro, sempre, da fé e do conhecer.

Haveria a perguntar, no pensamento pressentido de Luciano, se, exatamente, esse ser-de-entrega manifestaria a percepção do absoluto franqueado à contingência no seu próprio, no melhor sentido escolástico do conceito. Por ele, o real se afirma e se revela no outro. O próximo é como a caução que interioriza o retorno às subjetividades nesse mundo sob a espécie do homem e do seu fazer.

Tempo dos sentidos e metarretribuição

Não há, nesse modelo, um prêmio à virtude como um tempo de fruição do agradável ou compensador. É pressaga a entrega, independentemente de uma lembrança dos sentidos, ou de uma memória de prazer. Haveria a discutir, na melhor acepção escolástica, esse "próprio" da manifestação do absoluto em que toda entrega é *intuito personae* e em que essa condição, por essência, singularíssima, supõe a vigília sempre renovada, jamais repetível. Não vi esses ressaibos do dito "mundo" na rotina de Luciano, antes da entrada no Anchieta, tal como a busca do desejo se sublimava naquele mais-ser, para além dos desfrutes sensíveis ou dos empenhos performáticos para lográ-los.

Não há, em Luciano, um tempo dos sentidos, nem um fruir da gratidão. Aboliu todo instante da paga de sua generosidade na busca do próximo, num prazer da hora. Não há registro de ganhos, mas reiteração da disponibilidade-limite, em convite à abertura do outro: "Em que posso servir?".

Não me lembro, também, da contemplação de Luciano a se comprazer no sentido estético do conceito. No especialíssimo cuidado com que recuperou os lugares históricos de sua arquidiocese — e, especialmente, das obras-primas do Centro de Mariana, a partir da Igreja do Carmo —, nunca o percebi no prazer da posse do belo pelo visual, ou pelo auditivo, que não fosse para propiciá-lo ao povo à sua volta.

De há muito, também, entendi que a ascese inaciana levava o perfeccionismo da vontade a não reconhecê-la jamais, no sentido moderno da expressão, como um desempenho ou, tradicionalmente, como rememoração gozosa do alcançado. Sobrepunha a essa suposta fruição o que faltasse ainda de realização no infinito da diferença a se superar, mesmo que fosse mínima.

O verrumar do outro não lhe permitia o descanso da contemplação, própria dos místicos. Impossíveis a Tebaida ou a torre de marfim de recolhimento, pela percepção da carência à sua volta, inescapável e de logo partilhada. E toda interlocução pela reza se tornava prefiguração do encontro, na sua Ave-Maria, dita de forma irrepetível, como quem a diz à escuta de Deus.

Não se dirá de Dom Luciano — como remate de uma existência de despojamento diante da transcendência — que entendeu a vida eterna como o fim ou um prêmio de seu aqui e agora. Da mesma forma — e viu-se isso, de saída, no velório em Mariana —, o tempo de entrega não tem como sua seqüência um descanso no Senhor. E nada menos congruente, com Dom Luciano, do que imaginar que "foi melhor que terminassem suas dores, na paz da morte".

A comunidade reunida em torno das exéquias naturalmente encontraria, no tom dos discursos de despedida, a resposta ao pastor, por sobre as convenções e os lugares-comuns desse consolo. As frases na praça brotavam em cobrança da presença do bispo, a modificar a escatologia da morte no sofrimento partilhado de Mariana: "Dom Luciano vive".

O recado vinha naturalmente fundido à comunhão dos santos. Nenhum suspiro de separação, ou consciência de ruptura, ou solenidades de despedida nas semanas antes da UTI. A missa dita no quarto, e ao lado dos padres Alec, Hélio ou Luiz Cláudio, junto a seus irmãos, erguendo Luciano o cálice até 8 de agosto. As palavras da consagração escandidas nas suas sílabas, como sempre, e a comunhão dada nas duas espécies.

No quarto 841, junto aos colegas do bispo, acorreram os companheiros jesuítas, padre Melchert à frente, claro, para as rememorações da nossa infância comum no Santo Inácio, se juntando no terço com o tom sempre inaciano dado por Luciano ao "Salve-Rainha".

Leveza da morte e internação na eternidade

O começo da rotina terminal viria de repente, na informação a Luciano, em tom casual, de que seria sedado para tolerar a hemodiálise. Recebeu-a na mesma paz e na absoluta disponibilidade para as últimas etapas do tratamento. Repetiu a nosso irmão Luiz Fernando o pedido de que não abandonássemos os seus pobres. Antes do agravamento do estado de saúde, à tarde do mesmo 9 de agosto, insistiu na despedida à irmã Carmem e ao motorista Elias, mantendo a coloquialidade da fala e o tom tranqüilo com que se referia à volta das rotinas em Mariana.

Na mesma tarde, a repetição das dores levaram-no a um enorme desconforto, para deitar-se ou sentar-se na cama ou na poltrona. O retrato da prece a Dom Viçoso permanecia colado na cabeceira ou na parede do quarto, ao lado do santinho da morte de nossa irmã Elisa. O pijama azul desbotado do Hospital das Clínicas; o cabelo basto rodeando as orelhas, suavíssimo, levando as sobrinhas a penteá-lo e repenteá-lo num gesto de afago, de inconsútil litania. As mechas prateadas eram como um plantão da vida, contraponto, ainda, no físico à suavidade da voz, que a doença começava a entrecortar. Relembro-as sentado, atrás de meu irmão, no avião-ambulância, de Belo Horizonte a São Paulo. As mãos coladas, lido o breviário, continuando na oração, em contas apalpadas do terço no bolso.

Chegava ao "seu" hospital, bagagem zero e agenda carregada, perguntando-se do quanto tempo ficaria internado e se lograria manter a próxima ordenação, no novo fim de semana, a 200 quilômetros de Conselheiro Lafaiete, advertido desde logo o motorista para a nova jornada entrevista. Nenhuma preocupação maior com os diagnósticos, ou as rotinas da internação, na conversa com o dr. Dalton Chamone e a dra. Edna, que o acompanhavam há muitos anos de perto. Tomava as primeiras providências, na arquidiocese, aguardando a internação em São Paulo. Conversas com o padre Marcelo ao telefone, e o padre Lauro, sempre, no cuidado com o Seminário de Mariana. Só já dois dias após, o pedido a Dom Barroso para que fizesse a ordenação do novo pastor e mantido, até o último limite, o desejo da escapada de uma quinzena antes, indo a Dores do Turvo. A rotina da entrega e a cabeça em Mariana tornariam quase casuais as entradas dos enfermeiros, o tratamento, as punções de veias, os cateteres, os percalços da imobilização, obedecidos com a determinada certeza da melhoria da saúde. Confiava, tanto via a cura como o milagre que faltava à canonização de seu antecessor, Dom Viçoso, há mais de século, em Mariana.

II – A PRESENÇA

O inesperado júbilo da entrega

Foco da passagem da entrega para o júbilo é a festa do encontro com João Paulo II no Brasil. Não há nada na face que não seja claramente distinguível, como se o instante fosse uma recompensa, nem mais deixada às agendas de espera, ou à surpresa em que se desorbita a alegria. No rosto de Luciano está o encontro, nem pedido, nem pressentido, nessa sua caminhada em que a dimensão internacional mediou-se de maneira quase canônica com a do pastor entre nós.

Secretário-geral, presidente da CNBB, ficou sempre como o mais votado nas eleições, por seus irmãos, aos sínodos romanos e às conferências latino-americanas. Na senda do pós-Vaticano II, abria-se já no começo do pontificado de João Paulo II a Conferência de Puebla, depois da de Bogotá. Ao início do pontificado, e da primeira busca de pôr uma ordem nos debates e de chegar ao avanço entre as reuniões, Luciano se via trazido à condição de secretariá-las e transformar-se tantas vezes, e em tantas propostas de grupos de trabalho, no seu relator.

Quase impossível encontrar maior capacidade de ouvir, até mesmo quando uma expressão de cansaço parecia contradizer o acompanhamento sem falha dos debates. Quando se o imaginava, momentaneamente, fora da discussão, apresentava a síntese imediata da troca de opiniões, e, via de regra, o sumário na sua letra miúda transformava-se em conclusão. Pude pessoalmente, como membro da Comissão Pontifícia Laica em Puebla, atentar a esse dificílimo remate de proposições, já de si mesmo marcadas pela implacabilidade dos três minutos, quando, sob o recado pedido à hora, vinha o grito de fundo dos pastores, talvez por uma única vez na vida podendo falar diante do pontífice.

Nenhum personalismo de estilo ficaria entre as frases despojadas, os ponto-e-vírgulas, as pausas do texto de Luciano. Era como se as melhores lições do discurso da racionalidade tomista, acompanhada pela urgência da prática inaciana, nos dessem a redação acabada, a dificilmente suportar novos retoques. Essa vocação especial da linguagem do pastor o levaria aos debates cada vez mais complexos, ao encontro dos consensos regionais, em que a última Conferência de Santo Domingo refletia as intensidades tão diversas de expectativas da mensagem da Igreja no continente de sua maior audiência, e acelerada pela Teologia da Libertação.

O profetismo implícito

Não temos ainda recuo histórico suficiente para atentar até onde o primeiro profetismo, brotado da contradição entre a marginalidade clamorosa do Povo de Deus e a confessionalidade ostensiva dessa mesma América Latina, tornou tão difícil a escuta da Igreja *versus populum*, em sua primeira urgência de clamor pela justiça social.

No compasso em que Alceu Amoroso Lima soube tão bem discernir o que é dialética da encarnação da Igreja, Santo Domingo se marcaria pela chamada conservadora. E mais para a lição *urbi et orbi* do que pelos pontos nodais de uma América Latina entre a impaciência e a esperança.

Esse trânsito sofrido no anúncio concreto, e no encontro do recado, apesar da generalização da prédica, passou, em muito, pela capacidade do relator em reconhecer — e mo repetiu tantas vezes — o que é a virtude efetivamente cristã da prudência. À multiplicidade das palavras conciliares, os depoimentos de Dom Helder Câmara trazem a vigília constante desse divisor de águas e a preocupação, dentro do próprio testemunho pastoral, do que seja o dito e do que represente, ainda, a palavra à espera.

Os escritos finais de Santo Domingo não permitem o reconhecimento da última lavra vinda do secretário-geral. Ela fica toda na urdidura do texto e, por sua vez, da própria ordem da sua progressão. Nada tem de entrelinhas, mas de um verdadeiro *sursum*, em que a atenção e o cuidado se traduzem nesse clamor da Igreja *versus populum*.

Luciano trazia da lógica aristotélico-tomista o empenho profundo para com o objeto formal dos seus enunciados, de onde resultava recado maior sobre a mera exaustão da frase. Uma leitura apressada das lições de Santo Domingo sugeriria uma regressão do anúncio sobre a esperança. Sua redação não prescinde nunca do envolvimento geral pelo pressentido; do delineio da peregrinação *in fieri* sobre o que uma cautela pastoral *ad hoc* lograria delimilitar.

Jamais assumido qualquer mérito, Luciano desaparecia das mesas de trabalho após as leituras dos textos, sem chamar a si a elaboração, a garantir o teor coletivo das conclusões aprovadas. Mais uma vez, nos faltarão o tempo e a dimensão requeridos pela exegese da Teologia da Libertação no que esta trabalhara a esperança da Igreja na visão concreta do sofrimento do destituído. Acompanhando Alceu e Teilhard de Chardin, nos perguntaríamos se a sua falta implicaria o sacrifício do profetismo. Somos sempre mais expostos à provação sem a práxis da esperança. Seria esse, talvez, o testemunho específico de nossos tempos, que pedem o anúncio insaciável para avançar na caminhada.

A voz da Igreja militante em Santo Domingo

Nessa ação coletiva sempre empenhada, foi o trabalho de articulação de Dom Luciano que respondeu, em última análise, pela coerência das proposições de Puebla e, a seguir, pelo uníssono dificílimo e final de Santo Domingo.

Fora já membro da comissão no México, um dos cinco, ao lado de Mac Grath pelo Panamá e Bambarén pelo Peru, encarregados da proposição final, a ser ordenada e proposta na madrugada do dia das conclusões. José Oscar Beozzo diz-nos de como o documento caminhou sobre quatro eixos e sobre o norte geral da temática de comunhão e participação. O texto de iniciativa de Dom Luciano trazia a garantia do sentido profético dessa reunião basilar para o pontificado de João Paulo II, então iniciante. E também, já profeticamente, a reunião refletia o contraponto entre a palavra inicial do pontífice e a resposta do presidente do Celam. Dom Aloísio Lorscheider se posicionava, em primeira palavra face ao Vaticano, sobre a Teologia da Libertação, e os encontros e desencontros no *sursum* da Igreja pela mudança no continente, e os ressaibos marxistas que pudesse manifestar a tensão desse compromisso.

O documento papal para Santo Domingo retomava as metodologias abstratas no enfoque da temática latino-americana, pontualmente, em vez de integrá-los, o que, numa ação *versus populum*, sempre suporia a Igreja encarnada, voltada para o concreto e o imediato, como um todo de expectativa da palavra. No melhor receituário *urbi et orbi*, João Paulo II falava da atenção da conferência à juventude, à família e às vocações sacerdotais e religiosas. Dom Aloísio tomou da palavra por uma mensagem de efetivo testemunho contra a nossa injustiça estrutural, aberta sobre o nervo de sofrimento do continente e capaz, pela sua inteireza de denúncia, de responder à comunidade fiel, desmunida e carregada de esperança.

A conferência de Santo Domingo acentuaria mais essa distância pela organização interna vaticana presente ao encontro e a preocupação de que vozes do plenário ou de comissões dele nascidas pudessem discrepar da orientação básica. Naquele momento e diante desses riscos, a expectativa do Vaticano era de que não houvesse documento final na conferência e apenas propostas — salienta José Oscar Beozzo — para serem encaminhadas a Roma para posterior exame e publicação.

A conscrição da palavra

Luciano fora, de toda forma, anexado à comissão *ad hoc* por vontade explícita da conferência, após a sua abertura. E mais do que nunca se entregou a esse trabalho, que permitiu uma expressão coletiva de vontade do episcopado, a partir do Capítulo VII, sobre a promoção humana, e assegurando o caráter profético, na esteira do grito de Dom Aloísio Lorscheider em Puebla.

Mais uma vez, à madrugada de conciliações, ganhou o documento, à hora já da última reunião, três linhas básicas, pelas quais se evitava o risco das declarações do continente das cristandades, e de um triunfalismo — ainda que a serviço de uma Igreja missionária —, diante da multiplicidade de expectativas abertas pelo Vaticano II. O texto poderia falar, dentro da mais profunda dialética da encarnação, numa nova evangelização, numa promoção integral do povo latino-americano, "a partir de uma evangélica e renovada opção pelos pobres"; "a serviço da vida e da família"; "uma evangelização inculturada" a penetrar "os ambientes marcados pela cultura urbana", adensada "nas culturas indígenas e afro-americanas, com uma eficaz ação eucarística educativa e uma moderna comunicação". Dentro de toda a história de sua ação eclesial, naquela madrugada, viu-se Luciano impelido para o gesto profético.

Como relator, tomou da palavra à abertura da última reunião e leu o texto, sendo estrondosamente aplaudido por todo o plenário. O consenso ali estava por obra e graça da ação da comunidade, a levar, de toda forma, Dom Jorge Medina, secretário da conferência, a "rude e descontroladamente" pedir contas a um calado Dom Luciano: "Com que direito havia se dirigido à Assembléia, ao arrepio e sem a anuência da Secretaria-Geral?".

Teremos recuo histórico suficiente para nos perguntar até onde, e justamente diante do cardeal Sodano, de Dom

Jorge Medina e de Dom Raimundo Damasceno, o único e estrito risco profético do pastor o deixaria em Mariana, não obstante a sua recondução maciça e crescente como a primeira voz do episcopado latino-americano? E já para a quinta conferência, em Aparecida, de 13 a 31 de maio de 2007?

A Luciano, nos seus últimos anos, foram oferecidas arquidioceses conducentes ao cardinalato, e em especial a de Brasília. Mas o arcebispo delas declinou, na tranqüilidade da ação pastoral da sua Mariana, às vésperas dos seus 75 anos, quando apresentou a proposta de renúncia, oferecida a Bento XVI, que calorosamente pediu-lhe a continuação do trabalho no seu chão de entrega. O momento fundador é único: o profetismo de Luciano evidenciava-se justamente por essa toma da palavra, a irradiar-se pela sua cautela-limite também do aguilhão do discernimento na limpidez das conclusões.

Do discernir ao consenso

Foi reconhecendo instintivamente essa qualidade da cabeça de Dom Luciano que seus colegas na Companhia de Jesus e, depois, no episcopado poderiam se referir ao arcebispo de Mariana como candidato ideal, ao mesmo tempo, para presidir encontros e, sobretudo, ser o relator de suas conclusões. A virtude crítica desse reconhecimento nascia de um desarme imediato em que o cuidado intelectual de Luciano sabia renunciar às preferências inevitáveis de qualquer reflexão, a partir das convicções próprias de um pensamento ou da vivência de seus exemplos.

O amor ao outro passava, por aí mesmo, ao imediato respeito ao que propusesse e, por ele, ao desmonte de qualquer convicção prévia, no pesar a proposta e analisá-la à luz do conjunto e, sobretudo, dessa dificílima conjugação entre a importância, em si, do seu conteúdo e o sentido prático das suas vigências. Esses textos, múltiplos de conclusões, próprias aos documentos da Igreja brasileira nesses trinta anos, refletem a constância de um relator no *ethos* da contemplação de todos os argumentos e no encaminhamento da tomada de posições.

É o que talvez permitisse, no melhor sentido moderno do conceito, reconhecer um estilo da "toma da palavra" da Igreja pós-conciliar do Brasil, em que se desenha essa fatura tão anônima quanto atentíssima de Dom Luciano. Ele se nega a todo referencial erudito. Deslinda os princípios, no melhor da sua aproximação pastoral. Encadeia o enunciado, com exemplificação. Mas, sobretudo, sabe dosá-los ao que seja, no povo de Deus, o tempo da atenção em que a pastoral ganhou o ouvido do país. Desaparecem as invectivas, como as jaculatórias e as tautologias das legitimações. Na busca da palavra *versus populum*, remata-se essa simplicidade final do texto, como a erosão macia só do que tem de ser dito, deixado à sua evidência.

A pastoral contagiosa

A oração do jubileu episcopal em Mariana fica talvez com essa litania popular, entrelaçando a fala com a alegria do bispo. É nessa mesma dimensão que a pastoral de Dom Luciano, na sua transparência-limite, flui sem ênfase ou ora-

Dom Luciano, o Irmão do Outro

Arquivo da Família

Os pais de Dom Luciano,
Candido Mendes de Almeida Jr.
e Emília de Mello Vieira
Mendes de Almeida.

Arquivo da Família

Dom Luciano, no dia de seu batizado, no colo da avó materna, Elisa de Mello Vieira. Ao lado, a avó paterna, Condessa Maria da Glória Teixeira Mendes de Almeida; atrás, o avô materno, Antonio Luiz de Mello Vieira (à esquerda) e o avô paterno, Conde Candido Mendes de Almeida (à direita).

Dom Luciano (o primeiro à direita)
no aniversário de três anos de Candido.

Dom Luciano no Passeio Público, no Rio de Janeiro, com o cachorro Choxipili, de sua tia Rosalina Mendes de Almeida, mais conhecida como "Rosalita".

Arquivo da Família

Dom Luciano (criança à esquerda) com os pais, Emília e Candido Mendes e a tia Rosalita (atrás, em pé, da esquerda para a direita), o avô, o primeiro Conde Candido Mendes, e a avó Elisa (sentados), a irmã Elisa e o irmão Candido, no ano de sua Primeira Eucaristia.

Arquivo da Família

Dom Luciano com o uniforme do Colégio Coração Eucarístico.

Dom Luciano (em primeiro plano, de joelhos) e o irmão Candido (na frente, à direita de Dom Sebastião Leme), no Coração Eucarístico.

Dom Luciano
em sua Primeira Eucaristia.

Arquivo da Família

Primeira Eucaristia de Elisa (ao centro), com Luiz Fernando (à esquerda), João Theotonio (à direita), Candido e Dom Luciano (atrás, da esquerda para a direita).

Arquivo da Família

Os irmãos Luciano, Candido, Antonio Luiz, Elisa, Luiz Fernando, João Theotonio e Maria da Glória (da esquerda para a direita, de trás para a frente), no Carnaval de 1940.

Luiz Fernando, Elisa e Dom Luciano como lobinhos
(da esquerda para a direita).

Dom Luciano (o primeiro à esquerda, na fila superior), com a bandeira, na inauguração do Grupo de Escotismo do Colégio Santo Inácio, em 1944.

Arquivo da Família

Dom Luciano, em 1947, como escoteiro.

Arquivo da Família

Dom Luciano (à direita)
e Candido em uniforme de gala
do Colégio Santo Inácio,
em 1942.

Dom Luciano (o quinto da esquerda para a direita na segunda fila),
com a turma do ginásio do Colégio Santo Inácio.

Do livro solene, Distribuição de Prêmios, Colégio Santo Inácio, 1944

Colegial — I Série — 2.ª Turma — Científico

Saddy 8,5 — Luiz Cyrillo Fernandes 8,5 — Flávio Nelson Pádua Amarante 8,1.

QUÍMICA

MERECERAM O 1.º PRÊMIO COM MEDALHA DE HONRA:

Luciano Pedro de Almeida 9,8 — Monir Saddy 9,6 — Flávio Nelson Pádua Amarante 9,5 — Arthur Luiz Rodrigues Castro 9,5.

Próximos ao prêmio: — Caio Antônio Bernardo Ribeiro 9,3 — Guilherme Dutra da Fonseca 9,1 — Antônio Carlos Soares de Sousa 9.

HISTÓRIA

MERECERAM O 1.º PRÊMIO COM MEDALHA DE HONRA:

Arthur Luiz Rodrigues Castro 10 — Luciano Pedro Mendes de Almeida 9,9 — Monir Saddy 9,8 — Flavio Nelson Pádua Amarante 9,8 — Pedro Paulo de Carvalho Campos 9,8 — Fernando Luiz Tavares Rodrigues 9,8.

Próximos ao prêmio: — Antônio Marcio Barbosa Moreira 9,7 — João Francisco Naves Junqueira 9,6 — Gilberto de Azevedo Teixeira 9,5.

Medalha de Honra em várias ocasiões, Dom Luciano (o primeiro à esquerda do padre Machado da Fonseca) e a turma do colegial.

Arquivo da Família

A família reunida à frente do Colégio Anchieta, em Nova Friburgo, no dia da entrada de Dom Luciano no noviciado. Da esquerda para a direita: Luiz Fernando, Dom Luciano, sua mãe, Dona Emília, João Theotonio, Elisa, Candido e seu pai, Candido Mendes de Almeida Jr.

Atrás, Dom Luciano, o irmão Candido, padre Antônio José Coelho, o tio Fernando Mendes de Almeida. Na frente, o irmão caçula, Antonio Luiz, padre Louis Riou e o pai, Candido Mendes de Almeida Jr.

Dom Luciano (ao centro) no Colégio Anchieta, com amigos seminaristas, em 1950.

L'Osservatore Romano

Dom Luciano, com seus pais, Candido Mendes de Almeida Jr. e Dona Emília, sendo recebidos por Pio XII no Vaticano.

L'Osservatore Romano

Dom Luciano, em Roma, em 1957, em visita ao Coliseu.

Momento da ordenação de Dom Luciano, na Igreja Santo Inácio, em Roma, juntamente com a de outros companheiros, em 1958.

Dom Luciano oficiando sua primeira missa, tendo ao fundo seu pai, Candido Mendes de Almeida Jr.

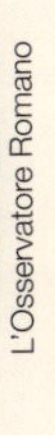

Dom Luciano no dia da primeira missa, dando a bênção à sua mãe, sob o olhar de seu irmão Luiz Fernando.

Arquivo da Família

Dom Luciano lecionou filosofia no Colégio Pontifício Pio Brasileiro, em Roma, e na Faculdade Nossa Senhora Medianeira, em São Paulo.

Arquivo da Família

Dom Luciano com o padre Stanislaus Ladusans,
reitor da Faculdade Nossa Senhora Medianeira, em São Paulo.

Sagração de Dom Luciano
como bispo-auxiliar por
Dom Paulo Evaristo Arns,
em 1976.

Arquivo da Família

Dom Luciano no ritual de sua sagração como bispo-auxiliar de São Paulo, cercado por padres, bispos e arcebispos, e recebendo o báculo das mãos de Dom Paulo Evaristo Arns, em 1976.

Dom Luciano em Roma com outros membros da Igreja Católica...

CNBB

... e discursando na 27ª Assembléia Geral da CNBB em 1989.

Arquivo da Família

Dom Luciano com Dom Vicente Zico, arcebispo-coadjutor de Belém, padre Virgílio Uchoa, assessor da CNBB, e Dom Edmilson, bispo-auxiliar de Fortaleza, a caminho da Auditoria Militar de Belém para assistir ao julgamento dos padres franceses Aristides Camio e François Gouriou, nos anos 1980.

Agência O Globo

Dom Luciano, presidente da CNBB, e Dom Helder nos anos 1980.

Dom Luciano com dignatário da Igreja Ortodoxa.

Dom Luciano e Amine Gemayel, presidente do Líbano,
país cujo povo, vítima de seguidas guerras fraternas,
esteve sempre no centro das preocupações do arcebispo.

Arquivo da Família

Dom Luciano com João Paulo II e seu grande amigo Ernesto Olivero, fundador do Arsenal da Paz.

L'Osservatore Romano

Dom Luciano com João Paulo II em Roma.

Dom Luciano sendo recebido por João Paulo II em Roma.

Dom Luciano com João Paulo II no Brasil.

Arquivo do CEC Dom Luciano Mendes de Almeida

Como bispo-auxiliar em São Paulo e depois como arcebispo em Mariana, Dom Luciano engajou-se em várias ações, criando inúmeras comunidades educacionais e creches para as populações esquecidas pelos poderes públicos. Acima, vemos Dom Luciano no CEC (Centro de Educação Comunitária) Santo Antônio e, ao lado, no CEC que leva seu nome.

Dom Luciano e John Donohoe, então representante do Unicef no Brasil, no lançamento da campanha do soro caseiro.

Dom Luciano com participantes da Escola da Fé.

Arquivo do CEC Emília Mendes de Almeida

Dom Luciano na inauguração do CEC Emília Mendes de Almeida...

Arquivo do CEC Dom Luciano Mendes de Almeida

... e comemorando um de seus aniversários no CEC com seu nome, ambos em São Paulo.

Dom Luciano na Comunidade da Figueira, em Mariana.

Arquivo da Família

Uma das preocupações de Dom Luciano era a questão da terra no Brasil, fazendo-se presente, em várias ocasiões, em marchas nas ruas e em reuniões de pastorais que tratavam de questões rurais.

Arquivo da Família

Arquivo da Família

Não foi apenas quando sofreu o grave acidente no princípio dos anos 1990 e ficou impossibilitado de falar que Dom Luciano cultivou o hábito de se comunicar por meio de símbolos. Já bem antes, nas aulas, era assim que costumava sintetizar seu pensamento.

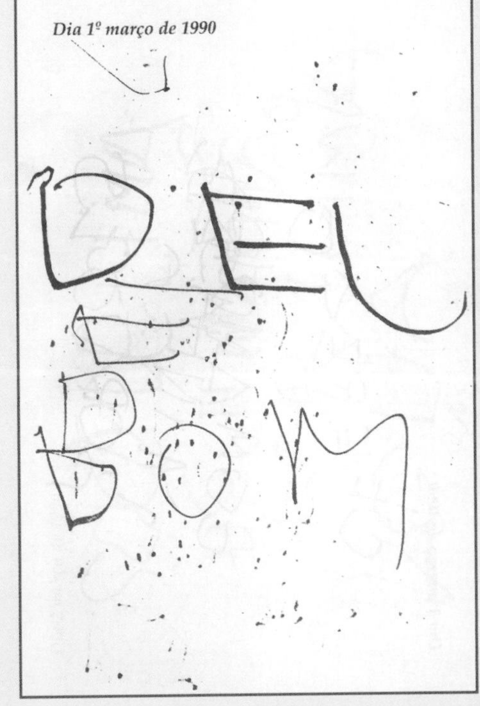

Do livro *Bilhetes de Dom Luciano*

Luciano de Faro Mendes de Almeida

Dom Paulo Evaristo Arns, que sagrou Dom Luciano bispo-auxiliar, esteve presente nas comemorações dos 25 anos de episcopado do "bispo dos pobres".

Luciano de Faro Mendes de Almeida

Autoridades e familiares estavam entre os presentes às comemorações dos 25 anos de episcopado – por exemplo, os irmãos Luiz Fernando (em pé, de gravata borboleta), Elisa (sentada na segunda fila, de blusa amarela), Maria da Glória (ao lado de Elisa) e Candido (sentado, à frente de Luiz Fernando).

O povo foi à praça celebrar os 25 anos de episcopado de Dom Luciano, em meio a autoridades e familiares.

Arquivo da Família

Dom Luciano e Fidel Castro.

Agência Brasil

Dom Luciano, o presidente Lula, Ernesto Olivero
e a primeira-dama, Dona Marisa.

Dom Luciano e Bento XVI.

Dom Luciano (o primeiro à esquerda na fila superior)
com outros dirigentes da Igreja Católica, sendo recebidos por Bento XVI.

Arquivo da Família

Dom Luciano e Elisa, a irmã-confidente, que faleceu alguns meses antes de seu irmão.

Arquivo da Família

Dom Luciano e seu sobrinho Candido José, que faleceu repentinamente um mês depois do arcebispo.

tória. Foge à facilidade do repentismo à guisa da comunicação, como a qualquer concessão à frase de efeito, mesmo que a justifique pelo dito apostolado do impacto ou da sideração. São décadas de pregação que não se associam a uma antologia vocabular, nem à esperança dos *grand finales*, nem mesmo à repetição, nas homilias dominicais, do dito a cada missa. Nem, por outro lado, essa preparação surgiria na ossatura entrevista do sermão como discurso, ou estratégia de alcance do seu povo, que não fosse a do começar logo pelo seu encontro, e o olho no olho do aguardo, muito mais do que da espera.

O último e grande itinerário interior de uma vida do espírito, no caso de Dom Luciano, não segue, por outro lado, um roteiro de inquietações *à la* Henrique Vaz, por exemplo, em que a doação da cabeça pediria o caminho de uma metodologia e uma ascese final de reflexão. Tendo optado pelo seu sinal de fala, como mergulhado na entrega radical, a última cognição de Luciano seria, muito mais, a da comprovação, a cada instante, do itinerário do mundo, feito de sua percepção como evento, e do que lhe trouxesse a liberdade reptada ao seu limite — ao não-ser, de que somos, sempre, culpados. Nada tem a ver essa leitura, por outro lado, com o franciscanismo da louvação do universo, como um reconhecimento, *ex post*, do relógio dos seres, deixados ou resgatados à precisa orquestra da criação. Nem se aproximou dos diários da carência itinerante, à maneira de Pascal ou De Maïstre — que minha mãe tanto trouxera a nosso estudo — ou de um Kierkegaard, no que a *laudatio* do *Poverello* se trocasse no extremo oposto, empurrando à vivência do abismo e seu impasse, cobrando o acudir-se do absoluto.

Tampouco se encontraria em Luciano um grande planisfério do mundo de hoje como pano de fundo, para definir uma precisa geografia de sua relevância e seus cortes. Ou melhor, das suas nervuras como sinais dos tempos e avanço da encarnação, na leitura de um presente. Tal como é sempre um *sursum* o encontro da circunstância com o amor de Deus ungido na entrega do pastor. Um repertório — ou um perfil — de Luciano também não se faz pela facilidade de uma toada litúrgica, ou da leitura da vida, finalmente, como essas instâncias em que a evidência da entrega cria um piedoso — e intransitivo — anedotário.

O mundo para Luciano soma a razão com a fé, já que a realidade não foge à lógica da transcendência. E a nossa liberdade vive de um impulso para um mais-ser, em que o homem, sempiterno, vai à procura do eterno.

Caminhantes da parusia, só nos cabe o *ethos* da esperança para responder de maneira prospectiva à visão do aqui e agora, da trama diária pobre no seu itinerário, dos tropeços da Igreja peregrina, a enfrentar as limitações da fé, a força do perdão ou da graça operante ou, ainda, a intercessão do pastor. Esse é um verdadeiro corpo-a-corpo de cada instante, a vencer a justificação pelo medo ou o consolo pelo arrependimento mínimo da atrição.

Entrega, compulsão e alegria

O pastor da alegria é também e, sobretudo, o do chamado a esse mais-ser do viver em comunhão, que jamais se mede por uma conta de chegar e sim pela imersão na promessa de sua dádiva. É possível literalmente haver compulsão na entrega? Ou essa exigência do apossar-se nasce da sensação de um infinito da carência, e de como ela se acomodou por toda uma vida, a não esperar nada, à recusa, senão a advertência, ou o desaforo? Luciano, a bem dessa abertura radical, expõe-se sempre à esperteza do pobre, ou da trampa, no ganho, *a priori*, da escuta, pela exploração consciente dessa boa-fé incólume do sacerdote. Mas não se afastava o afoito, nem Luciano deixava de tolerar-lhe a reincidência.

Voltávamos àquele desarme sem volta de Dom Helder, ao assumir nossa culpa continuada de desatenção e refugo à voz do pobre, marcado em nossa cultura de ilegitimidade ancestral. Nesses dependentes de todo o gênero que pude encontrar em Mariana após o enterro, antecipavam-se os viciados à indústria da conversa e que sabiam, na sua repetição a meu irmão, de como ganhariam sua aceitação implícita. Miravam, de havia muito, um dinheiro certo, a que condescendia o pastor. Tinha para esses casos uma reserva, preferindo, *in extremis*, ser enganado a falhar na dádiva a quem deveras precisasse.

O sim ficava como uma ponte de escuta, em que o flagelo geral da condição superava o risco de negar a esmola. Era como — e repetiria Dom Aloísio Lorscheider — uma caução de clamor visceral pela justiça, a forçar o encontro nesse chão do pedinte, que o anonimato moderno despojava cada vez mais de referência. Mas no esvaziamento dos bolsos, das carteiras de armário ou da mesa de almoço de Dom Luciano, como bastava o dinheiro do dia, a multiplicá-lo a quem a ele chegasse, dispensáveis as razões, pela simples leitura dos olhares?

A perene multiplicação dos pães

Ao longo de toda essa vida de entrega, o gesto de Dom Luciano sensibilizara amigos no exterior, fundações e dias de espórtula estrangeira, garantidas pela coleta dos domingos de cidades alemãs. A rede se constituía tão frágil quanto renitente, chegando a Mariana nos depósitos bancários ou nos aportes diretos ao bispo. Mas, sempre, o dinheiro em caixa se via consumido pelo último pedido da véspera. E o arcebispo já sabia, dos fiéis à sua volta, quem era sempre o esmoler do dia seguinte do recurso para a fome nova, a internação hospitalar, a paga do remédio ou o dinheiro da viagem de ônibus.

As conferências no Rio ou em São Paulo davam, em geral, esse consolo a Dom Luciano. Sua presença era o contrário das etiquetas de um convidado, de voz aguardada em igrejas ou auditórios cheios. Os patrocinadores se impressionavam sempre com o arcebispo chegando de ônibus, carregando a mala, agradecendo e abrindo as suas conversas na suavidade da palavra, no convite à troca de opiniões, seguida da fieira de conversas e pedidos à saída da sala. O sorriso largo vinha ao fim, quando os promotores lhe entregavam, muitas vezes, um cachê pela conferência. A alegria era indisfarçável, já que, num jogo com a providência, seria esse o dinheiro passado, logo após, aos novos pobres do novo compromisso que o esperava.

Essa vida de um itinerário de entregas cumpria o seu roteiro preso em cadeia, sem saída. Levado pelo irmão Luiz Fernando a, finalmente, experimentar um novo sapato, com os pés triturados pelo desconforto, aceitou o presente. Dois ou três idênticos — pensava nosso irmão — para desafogá-lo, de vez, dessa dor inútil. Não só foram esses sapatos, nos dias seguintes, para os pés dos mendigos de Mariana, mas o próprio original comprado no Rio de Janeiro. Voltou o bispo, afinal, ao velho calçado, e ao manso castigo da rotina.

A insônia de Deus

Ao longo desses anos, acostumamo-nos não com o Luciano cansado, mas insone. A cabeça ligeiramente pendente, como se a corrente do pensamento segurasse a imersão no sono. O débito do corpo não impedia a vigília interna da atenção, mesmo que parecesse fugir-lhe a escuta da conversa. Quando parecia adormentado, vinha a toma da palavra, lépida, referindo-se ao que tinha de ser falado, muitas vezes já propondo uma solução para o problema que se pensava ter passado em silêncio ou despercebido à sua frente.

Sabíamos, cada vez mais, distinguir os limites da fadiga, passados, todos, ao timbre da sua voz. Não perdia o ritmo, nem a entoação da fala. Cedia, tão-só, no volume, pelos dias encadeados de falta de sono. Rompante seria sempre a alegria da missa, a combinação entre a palavra e o canto e o seu coloquial, no cânon, pelas palavras da consagração. Precedido das ênfases na súplica ou, sobretudo, na jubilação. E a conversa no altar se reconhecia no mesmo tom do encontro com os homens.

Luciano nos deixou, pela voz, essa alegria do recado da cabeça. Esse dizer sem nenhuma impostação, no rente das sílabas tão precisas, como pede a comunicação como serviço. Obedecia a todos esses momentos da alma na acolhida, no conselho, na inquietação, no rateio da alegria ou do humor, que incorporava ao melhor desse estar com o próximo. Nunca o sarcasmo ou o cortante da frase. Mesmo como uma pedagogia da reprimenda.

Via de regra, o sorriso, após a resposta, recarregava a nova iniciativa de quem com ele conversasse. O encarar a busca dos olhos, num surpreender a bagagem do não-dito, no desatar-se, afinal, em que se rompe o último gelo, no novo caminho aberto pelo sacerdote. A sensação última seria sempre a de que caberia ao outro encerrar a conversa, já que para Luciano não há tom de passar adiante. A resposta vai além do seu conteúdo e da certeza do prometido, ou do compromisso, que passava sempre à caderneta. Permanecia receptivo a novos encontros. O que Luciano conseguia era a quebra dessas rotinas de não chegar, desses labirintos obstruídos de havia muito, em que o pobre pressente até onde vai o ouvido de quem o escuta, conhecendo as sucessivas escusas do não se fazer nada, sempre revestido de promessas. Mesmo sabendo da inviabilidade do pedido, e da visão realista do que poderia o bispo, o que importava era ouvir e responder, fora do jargão temido das desculpas, e com a vivência temperada do encontro do olhar, do lance de que se faz cada caso, e seus diferentes desfechos.

A solidão imune à caridade

É quando Luciano se tornava o irmão do outro e dissipava a sua solidão, pela abordagem irresistível: “Em que posso servir?”. É a prática de quem pega o pano para estancar a ferida; descansa a cabeça em seu peito, para depois perguntar da dor; aplaca a fome, antes de saber o que quer o visitante. A vida, à flor dessa primeira abordagem, pode também se camuflar, na tentação do hábito de chegar ao outro. Dela escapa Luciano, ao manter o mais difícil dos respeitos, na sofreguidão de ajudar, que é o de penetrar no sofrimento da alma.

Guardo tantos depoimentos do quanto a carência objetiva trazida a Luciano mascarava o quadro de desamparo radical de quem, havia muito, perdera todo o recato, fora até da própria sombra... Transformava-se em reflexos condicionados uma convivência baixada aos limites mínimos do sobreviver. Há como que uma retórica extrema da miséria — que o pastor distinguira da verdadeira privação.

Não há pedido único no reclamo do pobre nem satisfação dessas carências. O outro acontece no que seja a garantia de sua escuta, independentemente do que monte o seu discurso, sua agenda e seus pedidos. O segredo talvez de Luciano tenha vindo dessa garantia da escuta radical, da captura do impressentido quase invisível. E o repertório do encontro continuado não tem traumas, mas um "deslembrar" até de que se falou com o bispo. É sempre um desaperto de angústia e um recomeço de caminho.

Na fieira das relembranças, Luciano conseguia a palavra nova a cada um, sem nenhum atletismo nessa chamada à memória, mas a naturalidade de cada entrega. Seu abraço nada tem a ver com a caridade, abstrata ou generalizada, que tipifica os encontros e os compartimenta. A chegada ao outro prescinde do auxílio objetivo, fazendo-se do mais-de-encontro que envolve todo verdadeiro olhar entre quem já desesperou de ser ouvido e quem sabe que não é igual cada demanda da carência.

Também não encontraremos na avaliação da vida de Dom Luciano o diário para além da agenda, o rebuscado mais que a nota do trabalho ou a transposição para o texto do que é a vivência da hora e da meditação. É nesse mesmo limite que não existe um discurso da contemplação no contínuo da vida inteira. Importa é o ir à frente a cada entrega, nesse estar a serviço e no sabê-lo sem repeti-lo. Desse especialíssimo dom da alma brotava a paz de Luciano, nunca predicante, de quem se debruça sobre a respiração da vida interior.

O outro em terceira provação

Mestre da terceira provação dos jesuítas, no momento-limite do viver sacerdotal, Luciano garantia aos retiros a tranqüilidade que pede um questionamento decisivo, assegurado pelo descanso ou pelo silêncio para uma higiene da reflexão aberta a um discernimento da escolha. Esse itinerário passa também pela chamada à realidade, no seu mordente concreto. Há que se prevenir contra a confusão entre a paz e o êxtase, ou o arroubo dos reducionismos espirituais, em que se podiam entramar as grandes almas, se entregues à antologia das suas vivências e não ao comezinho da contingência e sua purga.

É numa linguagem interior do corpo, como do espírito, que Luciano compreendia o sentimento de paz como uma convergência obrigatória, à qual não se chega nem pela demasia do sofrimento nem pelo excesso de contemplação.

Consoante a espiritualidade inaciana, Luciano se interditava qualquer consolo ou satisfação da conquista, no empenho de deixar sempre aberta a provação final, não como quem a atravessa, mas como quem reitera o ganho de um recomeço. É esse o roteiro da experiência extrema do contingente, quando o absoluto pode penetrar o teor andarilho da vida com a graça da finitude, e assim tudo é dádiva.

Profetismo e *sentire cum Ecclesia*

Ainda em 2005, Luciano teve a última alegria que lhe permitiram os seus irmãos de episcopado. Foi de longe o mais votado dos representantes brasileiros nos sínodos previstos na agenda do novo pontífice. Na sua doação original de sempre, vivia as tarefas à frente, por fora das aposentadorias ou de qualquer cuidado maior com a saúde. Partilhei da intimidade com que meu irmão acompanhava os remanejos possíveis do Vaticano, no convívio de décadas com tantos de seus homens-chave, nascido de conversas a desoras, relatorias, consultas e missões pontifícias.

Os cardeais Re e Etchegaray ficariam nesse quadro de verdadeira confidência e, sobretudo — no que aprendi cada vez mais com Luciano —, na espontaneidade do que fosse um *sentire cum Ecclesia*, para além das arregimentações de forças ou dos cenários de um progressismo pós-Vaticano II. Mas seu olhar prospectivo não se furtava à trilha dos "sinais dos tempos" e à palavra, hoje, de um profetismo e de toda cautela com o avanço de cenários, sempre portentosos, no plexo histórico da Igreja bimilenar.

Viveu a minha geração o anúncio de Dom Helder, de um cristianismo voltando às catacumbas para reencontrar o seu sentido de missão, perdido no excesso do compromisso com os sistemas e os poderes, de cuja visão imperial participou até o início da modernidade. Dom Helder desposava as idéias de Ivan Illich, ou de Hans Kung, ou de boa parte da Teologia da Libertação, no dar a resposta mais sensível à enorme dificuldade religiosa, em nosso tempo, de enfrentar o processo da secularização. Ou melhor, desse entendimento da transcendência, vista como um estrito "sobrenatural" em que as leituras da revelação imobilizassem a operância desse mais-ser e uma história à obra que cada vez mais — e sobretudo a partir de Paulo VI — delineava o humanismo do nosso tempo.

A pulsação de dentro dessa Igreja, a se desimpedir das lógicas sonâmbulas da sacralização, impelia o pensamento de Dom Helder. Nutria-se da crítica à Igreja e da dificuldade do inconsciente coletivo de fugir à matriz do mundo das dominações, como se fosse as exigências do reino e seu anúncio.

A enorme riqueza dos diários do arcebispo de Recife, face ao Concílio, revela a perda progressiva dos horizontes prometidos com a chegada de Paulo VI ao pontificado. De toda forma, a perspectiva da Igreja dita das catacumbas, face à Igreja missionária ou à triunfal de João Paulo II, passava aos interrogantes do novo quadro internacional das dialéticas das grandes diferenças e das identidades coletivas, pressionado pela nova civilização hegemônica. Nelas, o cristianismo mal começaria a crítica de seu arraigamento ocidental, em toda a tensão dos fundamentalismos religiosos irrompidos após o 11 de setembro de 2001.

Anúncio em tempos partidos

O momento pós-conciliar, na própria seqüência do batismo dos "sinais dos tempos", abre hoje a temática desse seu vir-a-ser e do lugar de seu advento como sujeito de liberdade e de destino. Toda visão da dialética de retorno ao contextual do anúncio da Igreja permanece nas purgas lineares, tanto estivéssemos ainda diante de um processo histórico unívoco, imune ao questionamento radical das multiplicidades culturais. São tempos do estranhamento que enfrenta o Evangelho diante do clamor básico pela subjetividade em nosso tempo. O profético, hoje, se expõe a uma polissemia emergente, para garantir a penetração do anúncio pelos antigos caminhos da exemplaridade e pelo inequívoco de uma ética, como lição intemporal.

O profetismo viveria da perda dos seus universais, num mundo de identidades devolvidas à trincheira da afirmação intransitiva de seu fundamentalismo. Não há Boa-Nova num universo semanticamente em estado de choque e à beira de uma inédita "civilização do medo".

Luciano pôde encarnar, nos dezesseis anos de Secretaria-Geral e de Presidência na Conferência Nacional dos Bispos do Brasil (CNBB), a última etapa em que o pluralismo das Igrejas nacionais poderia afirmar-se na sua especificidade antes das terraplenagens globalizantes. Antes de soçobrarmos no risco da "guerra de religiões", em que entra o mundo das hegemonias e dos controles de sofisticação-limite e sem retorno.

Hegemonia e marginalidade social

É o tempo do neoconservadorismo americano; do missionarismo militar evangélico, desembarcado com as tropas dos Estados Unidos no Iraque; ou dos clamores dos purismos islâmicos. São respostas, também, do rapto da alma face à globalização e à civilização mediática, *urbi et orbi*. Não há, também, recuo histórico para saber em que limite o freio pós-Vaticano II imposto à Teologia da Libertação emperrou a emergência da superação do subdesenvolvimento, visto como o pressuposto da transformação cristã em países de marginalidades maciças expostas às contradições-limites de distribuição de renda e de mobilidade social.

De toda forma, a presença inicial dessa Igreja pós-conciliar no advento de legítima consciência popular, como através do Partido dos Trabalhadores entre nós, ficará talvez como exemplo mais significativo do cristianismo *versus populum*, e congênito à concretude de sua esperança. A sensibilidade de Luciano ao sacrifício de Dom Oscar Romero, seu colega na Vice-Presidência do Conselho Episcopal Latino-Americano (Celam), o inseriu na força dessas tensões, a remover a Igreja do nosso tempo das visões de cristandade. Tratava-se de um enlace primário, de um arranque pela justiça, que criava alianças naturais para a grande mudança, na intuição da certeza histórica dos marginalizados. Tiveram estes, na última década de Luciano, em Mariana, a escuta, a cada instante, nas agendas do prelado para o inumerável dos seus reclamos. Avulta, por aí mesmo, o pastor dos movimentos sociais, por fora dos aparelhos religiosos. Convocado pelos índios de tantas procedências, dos tapajós aos kaigangs ou nhambiquaras, nas disputas com o governo ou com a Vale do Rio Doce para a obtenção de indenizações, quitação de dívidas ou melhorias sociais. Requerido pelo Movimento dos Sem-Terra, contido pelo governo, para o atendimento do assento fundiário. Mais ainda, o arcebispo dedicava-se à floração de movimentos gerados na sua própria Mariana, de nova produção familiar rural, pela industrialização do coco babaçu no norte de sua arquidiocese, em passagem rápida de uma cultura de subsistência a uma economia de mercado.

A prática da mudança em Luciano era de uma Igreja a serviço, em que se prolongava o imediatismo do encontro com o pobre, para além da purga da catacumba ou do múnus liberatório. Não se orquestrava por uma fácil articulação do aparelho pastoral, mas por esse sem-número de iniciativas brotadas a cada requisição: do seu pôr-se à obra. A afluência em Mariana ao seu funeral era desse Brasil de fundo, fora dos associativismos fáceis ou dos profissionalismos das ONGs. Todos os participantes traziam à memória o feito do avanço conquistado no pleito junto às autoridades ou no despertar do espírito comunitário dessas mesmas iniciativas. Traduziam o que o país de fora, quase anônimo, via em Luciano, uma crença mais que tudo moção, sem olhar para trás.

O pudor da Boa-Nova

Luciano, se perguntado, jamais falaria de um ministério propositivo, mas da convicção de uma Igreja que faz para depois perguntar, contendo a pregação em bem do encontro, nessa entrega intransitiva, que é o modo de presença em tempos de destituição-limite. Impossível uma biografia linear do arcebispo, pois que esta se fez toda da ação partilhada, refeita, desconhecida, disfarçada, fiel à senha de uma humildade que nem diz — ou mesmo não sabe — o seu nome.

Luciano não tem herdeiros, nem seguidores, nem testemunhas de sua doação contínua, nem mesmo perfis pressentidos. Tampouco existe crônica de como fica ou continua nessa presença. Talvez não seja outro o modelo dessa santidade no mundo, a reduzir drasticamente os seus universais ou, pior, a substituí-los pelos seus simulacros. Afirmarão alguns que as acelerações históricas desses dias, de par com os massacres mediáticos da opinião pública e o avanço de um universo do pânico, cancelam um rememorar tradicional. Desmancham-se por aí os nichos de memória essenciais à particularidade de testemunho de Luciano.

O jesuíta, mestre reconhecido da terceira provação, foi entregue pelo padre Arrupe a Paulo VI para ser o primeiro inaciano bispo, e da Arquidiocese de São Paulo, a trabalhar numa pastoral quase ignota na megalópole. A Luciano foi confiado o Belenzinho, cortado pela marginalidade social ao lado da riqueza paulista; da criança de rua como primeiro sinal daquele exílio de pobreza privilegiado pelo novo recado da esperança.

A presença nacional vinha, ao mesmo tempo, dos retiros pregados sem cessar, no que via como o respiradouro mesmo de seu múnus. Este se irradiaria na Secretaria-Geral e na Presidência da CNBB, em etapa crítica da saída do estado de exceção, na restauração dos direitos humanos. Tal acontecia simultaneamente com a negação dos estatutos dos padres estrangeiros, no momento em que nosso clero passava à maioria brasileira. A luta envolveria diversas e às vezes inéditas dimensões na volta ao nosso estado de direito e ao papel da Igreja como voz das injustiças sem voz.

Uma pastoral de contrastes

Na surpreendente investidura como arcebispo de Mariana, ainda presidente da CNBB, experimentou talvez o contraste mais contundente de atividade pastoral no episcopado brasileiro. Saía da megalópole, onde começara a sintomática da grande pastoral do milênio, ao lado de Dom Paulo Evaristo Arns. Passava a enfrentar a perspectiva da área, talvez, mais clássica do nosso cristianismo instalado, na força tradicional da segunda mais antiga arquidiocese brasileira e de um cristianismo fora das tentações e dos raptos da civilização de massa, enfrentada no Belenzinho. Somavam-se às tarefas do pastor a de velar pelo patrimônio nacional, no veio artístico mais importante de um espaço religioso brasileiro, e a de conservar, em todo o seu viço, das nossas práticas populares.

A consagração no velório de Mariana trouxe também, ao lado da arquidiocese mineira, o povo original do Belenzinho, todo reunido no encontro só dos caminhos do ministério sem fórmulas, ao acudir a cada instante a subversiva pergunta pelo próximo. Da mesma forma, *ex post*, não haveria como definir linhas gerais da Igreja no se ver Luciano como progressista. Nunca se pôs esse propósito, nem o entenderia senão como um luxo de referir-se ou de situar uma conduta, face ao que é a sua tarefa de serviço. Nessa mesma medida, a docência do arcebispo via-se totalmente ligada ao mais estrito magistério da Igreja, sem preocupações de *aggiornamento*. Não haveria palavra fora daquele *corpus* no seu conjunto, e na massa das reuniões de Luciano era impossível dissociar esclarecimento da tomada de posições.

Os artigos da *Folha*, bem como as homilias, defendem a visão mais rigorosa do respeito à vida e ao nascituro; de crítica às experiências com fetos e às manipulações genéticas; ou mesmo de reabertura dos debates sobre a eutanásia e o direito de morrer. Em toda a área, fora de um *dixit* papal, a palavra de Luciano vinha nesse *sentire cum Ecclesia*, paixão pela comunidade; pela mobilização da força do pobre no situar-se no tempo certeiro de sua experiência de melhora.

Sempre se afastou dos triunfalismos religiosos; do espírito de cristandade como transposição do sagrado ao secular. Luciano e eu vivemos, quando da instalação do Centro Alceu Amoroso Lima para a Liberdade (Caall), toda a temática do que seja esse encargo específico do leigo dentro da Igreja, exatamente na seqüência da grande reflexão conciliar. Sucedendo Alceu Amoroso Lima na Comissão Pontifícia Justiça e Paz no Vaticano, constantemente pude repartir com Luciano sua preocupação com esse novo profetismo da Igreja, de falar antes de anunciar, de denunciar antes da Boa-Nova, como pede a violência silenciosa da civilização de massa. E fazê-lo pelo encargo ao múnus reconhecido dos leigos nos novos tempos.

A múltipla Igreja no mundo

Da mesma forma, esse laicato pode, de logo, dissociar-se completamente da idéia de partidos confessionais e da absoluta independência de escolha eleitoral implicada pela participação política do católico. Acompanhou Dom Luciano a novidade do PT e, recentemente, os limites da ofensiva moralista diante do imperativo profundo da desmarginalização social do país. Muitas vezes repetiu o quanto toda impostação ética precisaria distinguir entre o verdadeiro imperativo dos ditames da consciência e a sua impostação ideológica para justificar o país instalado e a coexistência com a iniqüidade geral do sistema.

Nas esteiras do choque com tantas lideranças petistas, continuamos também a entender o quanto o questionamento do país decente começa pela luta contra a nação injusta. Não se encontrará jamais uma opção partidária em Luciano, tanto ao pastor competia, ao lado da preservação da plataforma da Igreja, o respeito à expressão do povo como lugar natural da história nas decisões nascidas de seu sofrimento e esperança.

Dissociava o arcebispo a mobilização popular que levou Lula do estrito advento ao sucesso ou risco do PT. Importaria sobretudo saber o quanto se manteria a confiança original que deu um tal teor de fundação e dignidade popular à escolha de 2002.

No quadro da ação da Igreja *versus populum*, identificada entre nós a opção pela mudança estrutural, a promoção coletiva implicava o desempenho imediato e de base dos movimentos sociais, dos sindicatos e partidos e, sobretudo, as ações diretas da cidadania. Deve-se a Luciano, quando na Presidência da CNBB, o caso, praticamente único, de ação popular direta na obtenção do meio milhão de assinaturas, que levou ao Congresso, para o projeto de reforma agrária. Reparti muitas vezes também com meu irmão a importância de fazer valer o direito de resposta assegurado pela Constituição. Isso para permitir que um contraditório, diante de acusações de imprensa, viesse de fato a público e restabelecesse o equilíbrio das verdades. A ação pastoral, nesses mesmos termos, passava, com Luciano, pelo acordar da cidadania e, tantas vezes, pela importância efetiva do protesto como última instância dos pedidos mortos em burocracias ou das denegações de expectativas no papelório dos superaparelhos públicos e privados do Brasil de hoje.

Marginalidade e surdez do aparelho

Foi Luciano quem em 2004-2005 logrou a retirada dos bloqueios rodoviários feitos pelos indígenas ameaçados nas suas terras pelo programa de exploração da Vale do Rio Doce. Foi também o arcebispo de Mariana quem forçou o cumprimento dos acordos, tornando-se avalista da responsabilidade e da confiança dos kaigangs nas horas de espera dos cheques nas repartições da supermultinacional. A ação cidadã pode, às vezes, ir até a retórica, mas amadurece quando, de mão em mão, chega ao ajuntamento na praça, com a greve ou com o tranca-ruas. Qualquer avaliação, a médio prazo, dos movimentos sociais nesta última década vai encontrar muito do traço de Dom Luciano na autenticação do passo à frente dos grupos — especialmente na luta dos povos indígenas —, acelerando o seu reconhecimento pelo sistema e evitando o desastre de soluções de força e do aumento das fraturas da desconfiança social.

Luciano dava especial importância, nos muitos protagonismos de sua ação coletiva, ao artigo semanal na *Folha de S.Paulo*. Via mesmo, como multiplicadores de sua fala, os Frias, pai e filho, que lhe ofereciam espaço, ao mesmo tempo que começava a tarefa no Belenzinho. Ao longo de uma trintena, a coluna ganhou o formato de um verdadeiro cânon, em resposta à expectativa da maior audiência urbana brasileira, a quem se franqueava a palavra regular de um pastor.

A homilia para a megalópole

Nos últimos dias, no Hospital das Clínicas, foi essa tarefa que guardou a derradeira rotina de Luciano. Não acabara o texto, por uma vez, ditado, em entremeio, à sobrinha no quarto. A *Folha* publicou as primeiras linhas do artigo sobre a invasão do Líbano, interrompidas pelo agravamento da doença. Mas não existiriam distância, viagem ou enfermidade que perturbassem o envio do texto, passado invariavelmente pela sua secretária — irmã Simões — à redação. Quando do desastre em Minas Gerais, só numa primeira quinzena faltou o texto ao jornal. E mal pôde Luciano, a seguir, voltar à fala, desengessado o queixo, recomeçava a reflexão para o seu povo.

O escrito obedeceria, constantemente, a um momento da ação pastoral da Igreja, segundo o calendário da CNBB, repartido com a referência a uma nova lição da hora do Vaticano. Não lhe faltaria a exemplificação, ao cuidado imediato da prática cristã. Mas, no remate final, viria a invocação à Virgem de Dom Luciano, confessor da esperança. Via de regra, irmã Simões recebia o original no cursivo e no capricho da extrema nitidez caligráfica, como a vi desde os nossos tempos de criança. Precisa e imediata, essa escrita, prescindindo por toda a vida da máquina de escrever, tal como a disciplina interna da cabeça sempre de Dom Luciano, não precisava da edição, nem dos *screens* da comunicação eletrônica. Muitas vezes, premido pela agenda, ditava o texto, diretamente, sem vacilações, ao telefone.

A marcação interna adequava o tamanho da frase límpida, que afastava até a metáfora, como um luxo da cabeça, e trocava o impacto de todo impressionismo pela contundência direta do enunciado. Sobretudo, nessa intrínseca modernidade do encontrar o coloquial do leitor, a frase prescindindo das citações e do comentário erudito. Preciosíssimo espaço, o do sábado de manhã, da segunda página certa, na leitura obrigatória e na procura por uma temática de eternidade trazida ao seu relevo e sua espera da hora.

Lugar do pobre e destituição errante

Talvez, a característica própria da santidade em nossos dias seja a da imersão completa no imediato para o enlace com o outro. Luciano continua a relação com o próximo no saciar a comunicação imediata com o seu leitor. A homilia para a megalópole quer ir ao destituído de todo o gênero, e a vocação do pastor deu-se conta da dificuldade dessa resposta. Caberia falar, para alguns, no direito do desmunido radical, até a satisfação egoísta, como um reparo histórico ao hábito de conformar-se aos lugares esperados de destituição e misericórdia.

A caridade, no sentido em que a Igreja da ordem a absorveu, encontra, por certo, o dito "lugar do pobre", atenuável pelo olhar ou, sobretudo, pela esmola, em que se refina a absoluta objetividade e descompromisso do que seja o outro, numa efetiva relação pessoal. Nessa mesma dimensão, nunca existiu em Luciano a idéia de mobilização para uma superempreitada da dádiva. Confiava no impulso profundo e crescente de uma disposição social saída da inércia do egoísmo coletivo. O estar-junto de Luciano, nesse aspecto, era exatamente o somatório particular de cada abraço, mantido na memória atlética e seus detalhes irrepetíveis. Ao dia-a-dia da mudança quase imperceptível, ele preferiu toda compensação pelo anúncio da grande proposta da transformação a seu tempo, do tom milenarista que ele não deixou de apontar nas teologias da libertação, quando o clamor pela esperança manifestasse também uma acomodação profética.

Falta-nos uma análise mais detida da CNBB imediatamente anterior a Dom Luciano, conduzida pela visão de Dom Aloísio e de Dom Ivo, no próprio cume da interrogação conciliar e no que, então, teria se configurado na Igreja *versus populum* face aos missionarismos, tornados obsoletos pelo anúncio vaticano. Mas poderia se falar, nesse sentido, numa experiência e numa reflexão, ainda mal passadas ao *corpus* doutrinário, do impacto do imediatismo do anúncio, por Dom Aloísio Lorscheider, do caráter estrutural da injustiça nos países subdesenvolvidos. A CNBB adiantava-se, então, às reflexões terceiro-mundistas de um Lebret, já atento aos fenômenos da dominação capitalista, mas cuidadoso na implicação de suas conclusões face à perspectiva marxista de mudança social.

A CNBB de Dom Aloísio Lorscheider e Dom Ivo Lorscheiter assentava o marco efetivo do múnus social da Igreja encarnada, aqui e agora, para o seu projeto salvífico. Dom Helder levara a sua meditação ao nível, quase, de uma desconstrução literalmente epistemológica, de quanto a Igreja arraigada na ordem do Brasil pensava o seu dizer e o seu repetir o anúncio. Ficaria ainda aquém da denúncia objetiva da realidade pedestre, tanto essa verdade deveria, de saída, escapar a uma ótica de dominação, em que a Igreja herdava o perfil da ordem vinda da coexistência interrompida com o sistema e seus poderes.

O missionarismo obsoleto

A visão da injustiça intrínseca da realidade latino-americana mal ponteia em Puebla e desapareceria em Santo Domingo, não obstante seja entendida como um suposto essencial à própria radicalidade do empenho liberador. Derrubava-se, ao mesmo tempo, qualquer viabilidade do próprio conceito de estrutura social total, em que a ciência social da modernidade lançava-se à crítica da moldura coletiva em que prosperava o colonialismo, de par com o sucesso da Igreja no continente. O impulso inovador se perderia nos desvãos em que Santo Domingo afastou-se da efetiva reflexão sobre a mudança, especialmente relevante em países como o Brasil. Passava-se à nova dimensão do anúncio de João Paulo II, de uma Igreja de testemunho, e de exemplo, mais do que da dita ação afirmativa, da tomada de consciência concreta sobre a mensagem generalizada da fé na conversão. Respondia-se ao empenho do pontífice polonês de confrontar globalmente — e nas suas primícias históricas — a secularização de nosso tempo.

No irrestrito de sua devoção ao papa, Luciano permaneceria no devoramento por esse intensíssimo aqui e agora, no tópico em que uma Igreja-serviço poderia até passar-se de uma Igreja-anúncio. A guinada de João Paulo II, ao mesmo tempo, não só travou toda continuação do impulso *versus populum* conciliar nas escolhas de novos bispos, mas também desenfatizou o "movimento leigo" da preocupação ainda experimentada por Alceu nos últimos meses de sua vida. O papa das multidões beneficiava-se desse verdadeiro sacramental da praça, após a praça, em que a grande e nova nota do começo do século XXI, do retorno à dimensão sacral da vida, começava pelo atletismo da figura e do báculo de Karol Wojtyla.

A sucessão de Dom Luciano por Dom Lucas não deixava dúvida quanto à volta do máximo vigor nessas vozes do episcopado brasileiro, tornado ao mais escrupuloso respeito hierárquico. Seu comando seria da competência estrita e esperada dos membros do Sacro Colégio no Brasil, numa repetição do exemplo das outras Igrejas nacionais em todo o mundo. Na Arquidiocese de Mariana, Luciano dividiu e multiplicou, ao mesmo tempo, o chamado a Roma, repartido entre os sínodos no Vaticano e a sucessão de encontros no Celam. Permaneceu no colegiado internacional da Igreja o seu chamado como secretário da cabeça e o minutante de todos os encontros de que participou.

Além da palavra e da ação egrégia

A santidade de Luciano não se vai transpor a um profetismo da palavra nem a uma antologia cuidadosa de ações egrégias. Provavelmente não se transferirá a um raconto, desde a sua entrega na infância ao sacerdócio. Apontando o retrato de nossa irmã Elisa no Hospital das Clínicas, o rosto e a indumentária da viajante, repetiu-me: "Nunca pecou". A frase vinha com a naturalidade dessa reta razão, no caminho do "comum das coisas" a que nos conduzia nossa mãe.

Em Elisa, como em Luciano, avança o toque da graça operante, que não se pergunta mais da banalidade do viver. Vi, na Rede Vida, um dos raríssimos momentos de cobranças de consciência, de Luciano, sobressaltado, levado a falar sobre o seu dia-a-dia, e do que pudesse trazer de transgressão ou, pelo menos, de pecadilho, no compromisso de falar às câmeras, dizendo sempre a verdade. Registro a estupefação de meu irmão quando perguntado: "Quantas vezes mentiu neste programa, Dom Luciano?". A resposta teve o susto primordial da criança, como se exposta de repente a um juízo final. O ser verídico, naquele instante, implicava a consonância com a limpidez radical de toda uma vida. O dizê-lo vinha também, pela primeira vez, a uma descoberta do que ele mesmo via na hora como um repto à sua humildade: "Nunca menti". Nunca se permitiu Luciano o consolo dos místicos, nem, talvez, o da meditação que pedisse o isolamento singular. Não há o luxo do deserto na sua vida, nem qualquer hiato na prática do breviário, tantas vezes buscado na hora de sono, cumprida a escuta do último que o procurasse.

Essa santidade é anônima e, inclusive, escapa ao fazer e refazer-se de um exame de consciência e vai à primeira radiância da fé intocada, que nunca soube nem do escrúpulo, nem das atrições. Tal como, no quarto de hospital, creio, a entrega a Deus, no seu quase imperceptível ato de lucidez final, durou apenas o tempo da comunicação de que seria sedado. Não houve um desatar-se da vida nessa morte, senão a entoação interior, sem suspiro ou pausa, dessa paz, tão intransitiva quanto saciada, da última entrega. Sua derradeira privacidade, banida pela hora do repouso forçado, não se permitia o olhar sequer no seu entorno, salvo do retrato de Elisa.

O imperceptível cotidiano da graça

Nesse remate profundo da sua regra da vida, vi a última disponibilidade de meu irmão, desligado de qualquer angústia ou desassossego. A paz lhe vinha independentemente daquilo em que, a cada dia, se equilibrava, para além das cobranças do corpo, e se sobrepusera ao enredo ou ao cenário da hora. Vendo o peregrino à espera no espaço abstrato do hospital, lembrei-me de seu quarto no palácio episcopal. As pilhas por todas as prateleiras, na avalanche dos documentos marcados, vistos, nada postos em repouso para a consulta certa e a providência a tomar. Pequenos cantos ainda vagos; as quinas das mesas, para deixar o relógio ou os óculos; os escassíssimos objetos de toalete; o barbeador elétrico para ganhar tempo, desde os tempos de seminário; os dois ou três *clergymen* puídos no armário, também na justificação de que lhe facilitavam logo o vestir. A cama-catre quebrada, já há anos, amarrada, sempre adiado o conserto pedido pela irmã Carmem.

Esse espaço átono mais contrastava, exatamente, com o rebuscado inédito — e talvez único no Brasil — do palácio de Mariana, feito pelo zelo de seu antecessor, Dom Oscar de Oliveira, e entregue à fatura surpreendente do arquiteto, seu sobrinho. É palácio sem precedentes na nossa história religiosa, no octavado das suas salas, na igreja-catacumba ou na vidraçaria tão distante, do que se esperaria de uma arquitetura de hoje, de toda forma compatível com os mais clássicos dos barrocos brasileiros — ou, de fato, trabalhando com o contraste sofisticado, face ao arcano. Mas não havia tempo do pastor para ver em volta. Difícil seria até pedir-lhe detalhes de como era a sua casa-palácio. O olhar voltava-se, sim, e sempre, para fora.

O arcebispo confiava esse entorno à especialíssima dedicação de monsenhor Vicente Diláscio, a quem entregara, por inteiro, a recuperação colonial de Mariana, como de toda a arquidiocese. A preocupação básica de seu principal auxiliar vinha, de fato, à recuperação da Igreja do Carmo, devastada por um incêndio às vésperas da reinauguração. Na mesma igreja foi velado Dom Luciano, recomposta na pureza de seus arcos, sem ainda as alfombras da última restauração. A Praça da República me permitia ver, na chegada do corpo, a força daquele conjunto recuperado, com as Igrejas de São Francisco de Assis e Nossa Senhora do Carmo e o extraordinário prédio da Casa de Câmara e Cadeia.

Rito, atmosfera e encontro

Mais que a profecia da palavra, o anúncio de Luciano se fez não só por um magistério moral, mas pela sua especialíssima e única atmosfera de comunicação. Não há rompantes, ou indignações, ou repreensões, e é em vão que se pensaria que a apatia ou a convencionalidade fossem a sua contrapartida no percurso em volta do arcebispo.

Entendi também com meu irmão como não há espaços mortos aos olhos de Deus — nem que não os recubra o perdão. Nunca o vi usar expressões como *et cetera*, ou fazer remissões no vago, ao que comentasse ou discernisse. Tal como a crítica não vinha ao contundente, mas à quase escusa do que discordasse, acompanhada sempre do mesmo sorriso, que incluía o repensar o dito impugnado, entre a sua intenção real e o que tivesse falado. É por um cuidado pressuroso sempre com a interação que viu Luciano o *vis-à-vis* da *Ecclesia* que representa a homilia dominical.

O arroubo sacerdotal surgiria como uma concessão de um pregador à vaidade, na tentação da frase acadêmica ou do enlevo da hora, diante do primordial serviço da palavra, o que levava Luciano ao preparo da sua fala. Sabia da precariedade do tempo de escuta e do quanto, tantas vezes, o pastor poderia confundir a passividade da escuta com o hábito da rotina da missa. Dificílimo a sua prédica exceder os 20 minutos, ou repetir-se, mesmo na seqüência do mesmo dia. Difícil também sair de um coloquial, no didatismo da comunicação das leituras da missa, ou desgarrar-se dos limites de atenção do povo na igreja, preso ao trivial lá fora. Sobretudo, diante dos pressupostos de interesse que o espetáculo de massa da televisão definiu para capturar as cabeças — e estabelecer uma marcação para o imaginário.

A Igreja — casa de Dom Luciano

Com sua voz cálida, Luciano fincava na homilia o tom entre a acolhida e a suavidade do relembrar, tanto o fato é a narrativa do Evangelho, assentada no seu frescor, talvez o primeiro segredo da sensação de intimidade e imediação de um Deus-Pai, nessa Igreja-casa de meu irmão.

Nesse estar-junto, e sempre, talvez se refletisse o recado final dessa presença na fé do arcebispo. Por toda a sua vida, repetiram-se os encontros com os ex-colegas de seminário que haviam deixado as ordens sacras. Não era apenas a busca de conforto após as saídas, mas, constantemente, um reencontro, mesmo porque, em muitos casos, a crise sacerdotal fora, de fato, antecipada ao confidente ou já ao confessor. Nesse acompanhamento dificílimo, repetia-se a primeira preocupação com a fidelidade diante de Deus, mesmo vivendo os impasses das escolhas prévias ou das eleições de vida subseqüentes. Não creio que seus antigos companheiros tenham, em nenhum momento, sentido o exílio ou o descarte a acontecer, muitas vezes, depois de saírem da Companhia de Jesus. Tratava-se de manter o laço dos homens e não nos cabe — como dizia Luciano — jamais pôr em causa o amor ao outro por um conflito de destino.

Na cerimônia fúnebre em São Paulo e depois no Rio de Janeiro, muitos foram os seus antigos colegas presentes às missas com os filhos, também batizados pelo arcebispo. Nas suas exéquias, rezou conosco uma antiga freira, a quem

Luciano pedira procurasse nossa mãe, para assisti-la numa gravidez. E vão se repetir esses exemplos, reiterando que não há abandono no povo de Deus, tanto se pode fertilizar a vida em reencontro, à fieira de meu irmão.

Esse mesmo estar-junto deixou os seus à sua volta nos dias terminais — na luta milimétrica do acautelar o momento que vem —, e no Hospital das Clínicas pôde reviver a alegria miraculosa do Felício Roxo.

Repetiu-se na UTI paulista o sopro do silêncio na pausa da respiração, medida pelos aparelhos. E, de imediato, a pergunta sobre os níveis de lucidez de meu irmão. Tal como, em Minas Gerais, nossas sobrinhas repetiam a leitura do breviário, em voz alta, acompanhado do ofício do dia, segurando a mão de Luciano. E aí ficou a interrogação, por um ou outro apertar de seus dedos, do quanto, ao fundo daquela disponibilidade, mantinha-se a consciência, em fluxo de confiança e de entrega. A mesma consciência da recuperação de 1990, que o levou a pedir um lápis — ainda imobilizado — para escrever, no garrancho iniludível: "Deus é bom". Naquele mesmo bruxulear de Belo Horizonte, disse-me Luciano ter tido a perfeita consciência do umbral atravessado. Na mesma radicalidade, agora, do entregar-se, repito o que me disse sobre a paz: "Não a merecemos nem a conquistamos, dá-se quando Deus a quer".

A morte, dom da paz

A unção dos enfermos foi sempre para Luciano um sacramento da vida em que o sacerdote se transformava, de fato, no mediador dessa graça. Nas palavras de Luciano vinha o aconchego para a hora, a dessa presença logo de Deus, sem desenlaces nem despedidas. Nem sobretudo solidão de desamparo diante dessa paz de que é mera voz o pastor. Impossível maior casualidade do ministrar o sacramento, quando a extrema-unção pode — como fazia Luciano — se transformar, a mais, numa aura da tranqüilidade.

Não foi outra, aliás, a atmosfera no entorno ao corpo de Dom Luciano, exposto sucessivamente em São Paulo e em Mariana. A fieira na Igreja do Carmo continuou, por duas noites, na sucessão de gestos improvisados em que seu povo se viu no pastor. Ao lado do terço, e do sinal-da-cruz, carteiras de identidade eram tocadas nas mãos ou nas vestes como a marcar o vínculo e o rastro do contato personalíssimo, que continuava após o velório. O pedido, a súplica ou a intercessão se desfiavam na consagração do instante. Este, como vi, arrebanhou o plantão de esperança dos pobres de Luciano, tão confiantes quanto despreocupados do dia seguinte — sem o arcebispo.

Na verdade, socorria-lhes a certeza da chegada sempre de seu auxílio, como desenhavam as filas da irmã Carmem, dos centros paroquiais, das obras e de toda a malha atendida pela carta ou pelo telefone. Esse subsídio fundo e constante vindo do Arsenal da Esperança em Turim, Luciano deve a Ernesto Olivero, que, ao lado de tantos outros benfeitores, acorreu diretamente do aeroporto à vigília no Hospital das Clínicas, junto à cama do doente, e na missa diária para sua recuperação. A rede não se desmonta, só se articula na absoluta confiança mantida por meu irmão, ao não se poupar, na espera da providência.

Na pastoral de Dom Luciano, não há o serviço da esmola como uma rotina, mas a certeza de um jorrar contínuo, tão frágil como seguro, no que o dar pode fazer, o da multiplicação dos pães, como antecipação da comunhão dos santos. Nenhuma reclamação ou desespero, nenhuma imprecação ou clamor de desassossego nesses pobres de Dom Luciano, que vi radicalmente entregues à certeza do pastor no seu dia seguinte.

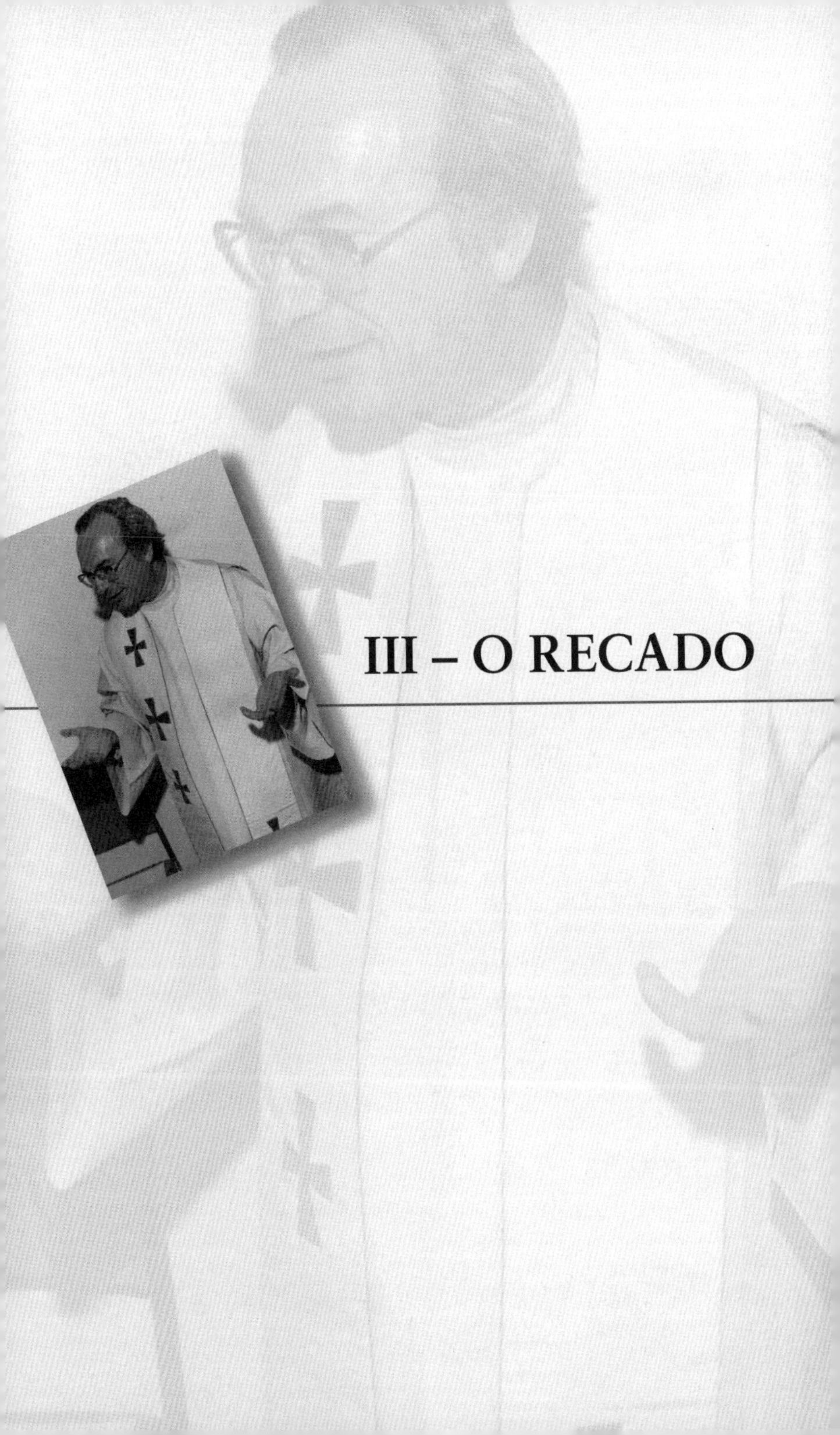

III – O RECADO

Do pobre ao marginal, ao desmunido

Na última entrega ao próximo, seria de indagar qual a condição-limite a marcar essa santidade, que não se reconhece presa ao seu propósito mas ao transcendê-lo. Amar o outro como a si mesmo, ou amar o próximo como imitação do amor a Deus? Ou deixar-se ao excesso, para o qual não há limites? A irmandade ao próximo extravasaria qualquer retorno, e não se confinaria, após o Evangelho, ao cauto entendimento da lição bíblica original.

Nunca encontrei em Luciano esse paradigma da prudência, tal como se, afinal, uma regra básica de egoísmo se tornasse a marca do referir-se a si mesmo — como um bem estimável por excelência — para chegar ao outro. Seria, ao contrário, a abrasão da própria vida a regra inexcedível para o "demais de dar-se" de Luciano. Ecoava, como sinal dos tempos, o próprio cenário da desmesura, em que a modernidade esvaziou-se de qualquer quadro ou ribalta, para que uma arquitetura de olhares sustentasse a marcação da entrega ou continuasse nos limites prosaicos de um dito "mundo viável" em face dos desequilíbrios de nosso tempo.

O desmunido radical carece de qualquer "reciprocidade de perspectivas", como se o efetivo "nós" à volta se constituísse de um permanente reenvio em que a nossa própria medida fosse as balizas de todo serviço ao próximo. O marginalizado extremo só se atinge por um perene "mais de esforço" de quem a ele se volta, sem cálculo, nem prudência, nem censura. Tal como não há moderação na dita caridade, senão a da regra da eficiência, a garantir-lhe a multiplicação. Mas sempre com o inacabado da impaciência, já que a santidade à solta não pára para se apetrechar, tanto assume a consciência plena de seu risco, independentemente de todos os providencialismos ingênuos. A perdição pelo dar-se supõe também uma incontornável imprudência objetiva. É o risco de uma economia da generosidade, no sentido mais exigente da palavra, conhecedora das medidas sempre apequenadas do que se entrega, diante do que se poupa ou consome.

É confiança-limite, e não desrazão, o que passaria Dom Luciano aos que o apoiassem. Seu crivo certo seria, sobre a estrita avaliação objetiva da necessidade, o do olhar do bispo sobre o desmunido. Ou melhor, sobre quem, ao lado de suas exigências elementares, encontrasse o reconhecimento tantas vezes negado nas filas bem ordenadas da caridade, ou nos fichários das demandas, ou nos eficientíssimos serviços ao próximo.

A chusma de pedidos que incomodavam o Colégio Pio Brasileiro em Roma levou — em certa etapa — ao pedido de mudança de Dom Luciano, por força da perturbação da vida da casa jesuíta. Meu irmão manteve-se nessa errância permanente do buscar e prover. No Belenzinho, como em Mariana, permaneceram a segurança da promessa e a consciência da profissionalização da pobreza, que se pode transformar no último produto da destituição do marginal, exilado dentro de si mesmo. Nunca vi, entretanto, irritação subseqüente ou veemência do pastor no verberar dessas freqüentes reincidências, na ameaça de romper — como insistia Luciano — essa instintiva comunhão dos que não têm nada.

Civilização de massas e vazio radical

No enterro em Mariana, ao mesmo tempo, não percebi nenhuma aflição de tantos que, sem o dia de amanhã, viam o corpo baixar na cripta da catedral. A confiança ficava na leitura viva e na seqüência da trama de suporte trabalhada pelo arcebispo, tão viável como frágil, feita também da certeza da continuação dessa entrega e dos seus patrocinadores claramente registrados nos caderninhos de Dom Luciano. Essa era a fé da chegada à porta do palácio arquiepiscopal, à irmã Carmem, ao padre Alec ou aos cooperadores imediatos do arcebispo.

A face mesma do outro, afinal, é o que resultava da proximidade do desmunido, entre o pobre, o marginal, o desempregado, os esfaimados, os abandonados, o doente mental, as vítimas prematuras da Aids. Não brotava uma legião anônima de desvalidos ou de pedintes, mas o ganho primeiro da confiança em si, do levante dentro da aflição, o despertar de um sentido de retomada da vida. Mesmo porque, dentro da melhor modernidade da Igreja, não se mantém o isolamento da caridade por onde se pode conservar a estrita e paciente repetição da dádiva, mas vai-se à busca da entrecooperação despertada pela alegria do bispo, em meio a tantas aflições chegadas ao palácio de Mariana. Volto sempre à comunhão dos santos antecipada, que vi na praça do velório diante da matriz. E, nela, da comunidade da Figueira, reunindo os atingidos pelas deficiências mentais e reassociados na prática das terapias possíveis dentro da plena socialização da vida nas suas paróquias. Esse enlace continuará no movimento do campesinato, trazido ao quadro dos sem-terra, à política de assentamentos, a que Dom Luciano emprestava todo o suporte da arquidiocese. O apoio ia às associações indígenas, para assegurar até a volta do protesto, quando se depara o descaso empedernido do setor público ou das multinacionais, seus comitês de negociação e de cobrança de acordos. Os impasses refletiam a falta de interlocução das tribos atingidas pelo desenvolvimento urbano e deixadas muitas vezes diante de compensações irrisórias, transformadas em miragem pela intervenção inescrupulosa de intermediários.

Governo autoritário e poder temerário

Na Igreja pós-Vaticano, a mediação de Dom Luciano face ao poder público dissociava-se de todo o velho triunfalismo da autoridade, louvando-se no peso da sua legitimidade tradicional, mais do que no dever cívico de expressão da sociedade civil do país. O arcebispo falaria ao governo como pastor, e a ele se deve muito esse estilo pós-Concílio, em que mesmo como Secretário-Geral e Presidente da CNBB não endossava a voz eclesial para argumento que prescindisse do debate de seu mérito intrínseco no quadro do estado de direito no país. Avultava a sensibilidade de Luciano ao definir a ação dos católicos, enquanto tal, no plano da vida política do país, a sair da sombra de uma velha tradição de relações entre a Igreja e o poder público. Repetiria, por aí mesmo, a marca e a lição de nosso bisavô, Candido Mendes de Almeida, já no Império, em pleno Senado, o qual distinguiu, claramente, a ação da Igreja da do Estado, que, pelo regalismo, a mantinha como repartição pública diante da Questão Religiosa e das prisões de Dom Vital e Dom Macedo Costa, por terem negado a comunhão, e excomungado, a maçons em suas arquidioceses de Olinda e Recife e de Belém.

Chegava aí às suas raízes essa dissociação profunda entre o cristianismo da encarnação e a religião da ordem, que levaria tão instintivamente Luciano à marca — da Igreja *versus populum* — própria ao trabalho comunitário, da busca da consciência política tão fora, por exemplo, dos pleitos eleitorais, das interdições ou vetos. A iniciativa política positiva vinha do viço de base da sua ação pastoral e do brotar de uma vida de fé, naturalmente, a deparar-se com o seu caminho político ou social. Nessa mesma linha, a Arquidiocese de Mariana, como, antes, a de São Paulo, tornara-se um viveiro de novas lideranças políticas, brotadas de múltiplas legendas nesse chão da mudança e da consciência da mudança.

A ação pastoral protagonizada no caminho de Dom Luciano só reforçará o seu contraste com as formas de ação evangélica dominadas pelos oportunismos de tantas seitas mediáticas. E oportunismos só comprovados com a sua exposição crescente aos escândalos da maior corrupção política no país, como demonstrado pela legislatura federal que se encerrou em 2006.

Do dar-se ao estar-junto

Na leitura toda da conduta de Luciano é impossível descobrir a impaciência diante do seu rebanho. Tampouco se perceberia qualquer desagrado na interlocução, permeada pela tranqüila antecipação da caridade. Nem existiria perda de tempo, no saber o que era, no atendimento, a carência da hora, via de regra, no bojo de um quadro de injustiça, último responsável pela aflição que deparava. Tornou-se notória, na ação pastoral de Luciano, exatamente essa passagem, na agenda de pregações e atos públicos, à convocatória natural a um ser parte da ação coletiva contra o abandono ou a injustiça. E essa interveniência vinha de par com a expectativa de cobrar dos seus a vigília para dar conta do desamparo à sua volta. E para Luciano um estar-junto era inseparável, no seu entendimento, da pastoral do estar-bem, e este da disponibilidade, a qualquer hora, para o chamado à ajuda.

O padre Júlio Lancelotti pôde nos relatar as características dessa convocatória a todo instante do arcebispo. Telefonou-lhe, ainda no Belenzinho, tarde da noite, Dom Luciano. "Júlio, você comeu bem hoje? Rezou? Você tem certeza que está descansado?" O interlocutor respondia afirmativamente, indagando-se do que pudesse pedir o pastor na continuação do telefonema. "Júlio, por favor, o João Celso está de novo estirado na praça aí do Centro do Belenzinho. Será que você poderia tirá-lo da rua, ver se está machucado e levá-lo ao hospital? Estou ainda a horas da volta à paróquia, mas irei depois à enfermaria para ver o ferido."

Nesse universo da caridade de Dom Luciano, impunha-se conviver com o desvalido crônico, até com as suas rixas de desamparo, e mesmo, às vezes, com o quase pedido de desculpas do pôr-se à disposição e insistir em cuidar diretamente do seu desconforto. Era como se Luciano tivesse chegado, para além da entrega, a uma espécie de sub-rogação continuada, de antecipar-se no gesto de socorro ou abnegação. Nessa mesma medida, também procuraria, à sua volta, a mão que o secundasse. O quadro não seria, nunca, o da expectativa heróica ou do pedido da ação formidanda, por mais que áspera ou desagradável, mas de cobrá-la com a vontade de comunhão com o próximo.

O contido direito à impaciência

Raríssimo Luciano levantar a mão em riste nos debates e plenários de sua atividade pastoral. Luiz Alberto Gómez de Souza o lembrou de maneira incisiva no quase repente em que Luciano, em reunião da CNBB, em 2006, cobrava as decisões e a adequação da palavra dos assessores da Presidência. Tratava-se de resguardar a declaração do então diretor do Centro de Estatística Religiosa e Investigações Sociais (Ceris) quanto às pesquisas do órgão sobre as expectativas do celibato em nosso clero. Diante da impropriedade dos comentários da mesa, Luciano, já alquebrado, levantou-se, provido por uma insuspeita mola interior, e reverberou a interveniência insólita: "Não foi isso que se acertou, e você bem o sabia". Mas são raros no correr da sua vida esses lances em que a paixão pelo verdadeiro não vem junto à serenidade. Seus próximos saberiam sempre encontrar no tom das palavras o freio doce à impaciência ou à impropriedade de uma interlocução ou de uma insistência no contato com o prelado. O "minha filha" ou "meu filho" ganhavam uma tônica de lembrete, a mostrar, por sob a plena aceitação do recado ou do dito, o que tivesse de repetido, insistente ou impróprio.

Nem um *stacatto* ou uma resposta mais firme retirava o terso do contato ou da confiança do diálogo, em qualquer cenário. Dom Ivo Lorscheiter costumava dizer que, se, por acaso, numa audiência papal, alguém se interpusesse a uma chamada pelo pontífice, por entre o caminho engalanado, claro, Luciano o interromperia para ouvir o carente ou o necessitado do instante. Impossível dissociar, nesse sentido, a imagem definitiva de meu irmão da desordem dos pobres ou do tumulto do pedido ou da escuta, que vai ficar nessa sua última vinheta.

E quantas vezes é na invasão da hora que se logra o verdadeiro acesso? E quantas vezes foi da primeira troca de palavras que surgiram as confissões ao meu irmão, tão longe de seus ritos, no imperceptível, quase, da reconciliação da alma saciada no instante? Ocorria nesses segundos de recolhimento, de olhos fechados, no ato pleno do mistério da absolvição, na suavidade sem concessões, a chamada à consciência.

Os estigmas da comunhão

Falamos repetidamente sobre Gemma Galgani nos dias do Hospital das Clínicas, em que se tornara praticamente impossível a Luciano encontrar um repouso do corpo entre as dores do câncer em progresso. As pernas inchavam, deixando mais à mostra as lacerações dos calcanhares, praticamente em carne viva desde o acidente, na cura lograda *in extremis*. Os dias que precederam sua provação devolviam-no àqueles momentos de entrega da vida e sua percepção de limiar, entre toda a aparelhagem de uma UTI, ao repetir-se a experiência-limite do Felício Roxo, dessa consciência do umbral da morte que tivera dezesseis anos antes.

Às cicatrizes somava-se a inoculação de sangue contaminado pelo vírus da hepatite C. A insidiosidade da doença geradora do carcinoma hepático viria à tona muitos anos após a extraordinária recuperação do desastre de 23 de fevereiro de 1990. Essa marca adicional no corpo levaria o arcebispo a comungar, ainda mais, com a destituição na sua última miséria física, acarretada pela venda do sangue, às vezes, como condição de sobrevivência do pobre, como ocorreu no Brasil até os anos 90. As feridas nas pernas, intumescidas nesses anos a fio, mal eram reconhecidas, nem lhe aumentavam o fardo de dores, descartado pela pressa e por essa armadura final de que — como lhe ensinou Santo Inácio de Loyola — se faz um corpo para servir.

O baque físico, de após o desastre na Serra de Itabirito, lanhava o corpo de Luciano. A figura, numa espécie de doce erosão, as incorporava. A perna esquerda torta, mas sem perturbar a cadência do passo, a fratura da fronte afundada na têmpora esquerda, escondida pelos tufos que restavam da prata do cabelo. Nada a atingir a força toda dos gestos, o desatamento dos braços na segurança do microfone ou da convergência das mãos, na tônica de um argumento. Pude ainda, na última missa de 8 de agosto, novamente deparar o seu aperto no cálice, na marcação das palavras da consagração. Luciano passou a todos em seus gestos o que afinal é o verdadeiro segredo de torná-los litúrgicos: o de não cederem a qualquer inércia, dentro da sua repetição, como pede a especial disciplina do cânon, como da vida, nesse rigor intransgredível. Nítido era o seu cuidado em não perder nada na sua elocução; o entender que a proximidade vem da exatidão, sem desvio frouxo dos diminutivos, ou a convocação preguiçosa de continuativas dos *et ceteras* ou remissões, por demais presumidas de conteúdo.

Dom Helder e Dom Luciano: os carismas de contraste

Luciano morreu, como Dom Helder, num 27 de agosto, dia do nascimento de nossa mãe. Sem recorrer ao facilitário das coincidências, é inevitável que a data marque de si uma superposição de dois recados fundadores da Igreja no Brasil pós-conciliar. O país perdeu a oportunidade de obter um primeiro Prêmio Nobel — o da paz —, com a inédita intervenção do governo militar, criando um caso diplomático se fosse, de fato, a honra entregue ao "padrezinho". Nessas próximas décadas, só crescerá a marca profética de Dom Helder Câmara, a ter vivido antologicamente as dificuldades entre o encontro de seu anúncio e a resistência objetiva da instituição em trazê-la ao seu seio.

Na verdade, essa tensão habitual dos últimos séculos insere-se numa dimensão crítica da articulação histórica, enquanto entendida, linearmente, apenas como avanços e reações. Vivemos, sim, momentos específicos de aceleração, como de retrocesso, marcados por novas formas de consciência da realidade, permitindo saltos na sua compreensão. É o que representou, condizente à sua época, o respeito do Vaticano II aos "sinais dos tempos" como nervos de desempenho social, no contraponto da revelação e do dever da nova palavra dessa Igreja pós-conciliar, que começava a sua caminhada.

As grandes exegeses do Concílio se somam hoje à riqueza do diário de Dom Helder, presente em todas as suas etapas e na superposição das vozes que levaram a Roma o arcebispo de Recife; o bispo-auxiliar do Rio de Janeiro; o Secretário-Geral da CNBB; o animador da Ação Católica na primeira defesa do lugar e do múnus do laicato na Igreja; o "padre José" dos últimos dias e do riquíssimo breviário dessa vigília no seu tempo e da espontaneidade do testemunho. O carisma da presença se antecipava, numa militância natural na ordem do mundo que o padre cearense trazia, ao lado da Ação Católica, à sede mesma da ação política ostensiva e, subseqüentemente, à presença nos órgãos de Estado responsáveis pela primeira formulação de uma política pública para a nossa educação.

É dentro de um protagonismo quase de contraste que o carisma da doação de Dom Luciano caminhou, pelo exemplo mais do que pela palavra, pelo silêncio do encontro mais do que pelo protagonismo ostensivo, da continuada saída da linha de frente pelo imediato turbilhão dos plenários, por esse assentimento inequívoco nascido dos fundos das salas. O mesmo que levara às surpresas, para a tradição das hierarquias, a eleição de um bispo-auxiliar como Secretário-Geral e, após, Presidente da CNBB. Seria a primeira e a única grande ruptura às expectativas desses colegiados, a partir da substituição de Luciano por Dom Lucas Moreira Neves, na volta rígida à provisão de que a tarefa retornaria aos cardinalatos ou arcebispados das grandes megalópoles do país.

O anúncio sem palavra nem obra

O levantamento hoje dos textos do discurso de Dom Luciano ao fio desse meio século vai manifestar, ao mesmo tempo, sua despreocupação com o refazer de seus pronunciamentos na hora e a vontade deliberada de resistir à idéia de um depósito da obra, como destacável da palavra pedida pelo anúncio, *hic et nunc*. O profetismo imanente no testemunho prefigura a própria caminhada da Igreja, mas pode consumir-se na imolação do instante.

A palavra religiosa jamais se rendeu à sua retórica e vinha da ruminação interior de que, para Luciano, não há duas ave-marias iguais na contemplação de uma vida de entrega. É nesse mesmo espírito que seus escritos não poderão se recompor no sentido da obra, em que o filósofo e o teólogo não se calaram, mas serviram ao concretíssimo da mensagem imediata. Não há gavetas guardadas de texto, nem rascunhos trabalhados, no rigor completo da sua prosa. Repetir-se-ão esquemas sucessivos, tão envolventes quanto sumários, no dever que se impunha de não dar por exaurida nenhuma meditação.

Um repertório das homilias não deparará a concessão, quase inevitável, à palavra que encontra o seu estro e a sua matriz, ou pode confiar num quase controle remoto na sua recepção. Quem tentar refazer um mosaico desse verdadeiro livro de horas, das prédicas, vai deparar sempre o rasgo do novo, a remissão especialíssima ao relevo da hora, ao alerta da cognição. O dar-se todo e no instante se torna irrepetível, mesmo à escuta da gravação das suas falas. Elas perdem aquele "mais" do instantâneo, feito inclusive da aproximação da toma da palavra; do desabrochar certo do sorriso, que se guarda em vão na fita ou no DVD.

Morrerá o que em Luciano foi, justamente, uma comunhão irreprodutível com a concretude, tal como a fieira inumerável de seus artigos, se lidos fora do contexto do instante, perde a sua terceira dimensão pastoral, numa quase liturgia popular de chamado à meditação.

A paz pelo sacrifício perfeito

Dificílimo encontrar-se em Luciano um gesto, no dia-a-dia, que o fechasse à disponibilidade ou menor abertura à chegada ao outro. É como se, para além do hábito, o segredo da entrega passasse à conta do sacrifício perfeito, no que já não comporta o dia-a-dia de desassossego, ou da perturbação dessa paz, e em qualquer instância, do menor à sua volta. Vi o quanto, na Praça da Matriz, na missa de corpo presente, a continuidade dessa imediação de Luciano compensava uma superação da morte como perda — ou dilaceração: "Dom Luciano vive". A frase não vinha como um protesto ou um desafio. Recompunha-se, de logo, numa saudade. Experimentava, sim, a trama de um presente a se enlaçar, num tempo de encontro ou de mãos a se darem diante do caixão, em todo o contrário de exéquias ou viradas-de-página.

De olho em olho, o brilho de uma alegria, descoberta, como a lembrar a primeira relação de Luciano com a vida: "Não passei um dia sem ser feliz". O mesmo sorriso do pobre, de boca em boca, ratifica instintivamente a sua presença na praça de Mariana. Não há rememoração do bispo, nem perpassar da lembrança, a sistematizar ou abreviar.

Assenta-se num tecido vivo de memória, sempre exposta à lente de aumento de cada um.

Espantavam-se as pessoas, na sucessão diária do abraço de Dom Luciano, ao rever alguém que lhe cobrasse o reconhecimento, de ouvir do bispo a menção ao detalhe preciso da memória, que continuava na dobradura da hora.

Essa sutilíssima arquitetura da naturalidade percorreu toda a vida de Dom Luciano, tirando a ribalta da sua conduta, desarmada do que esperasse quem não o conhecesse. Era a prestância do imediato que Luciano adquirira desde Roma, quando, pela primeira vez fora do ambiente do seminário, foi ao voluntariado para atender aos meninos presos de Porta Portese, casarão-cadeia do norte da capital. Passara a devotar os seus domingos a essa presença, em que começaria por reclamar do conforto do menor detido, da falta de sol e de condições mínimas de acomodação para os adolescentes, por aí mesmo fadados à reincidência.

Desse início brotava a visão envolvente do próximo, nunca como encargo, mas na aposta na face da dignidade humana, em qualquer contato com o outro. Era como se, desde então, Luciano atentasse, como recado em surdina da sua ação e do seu ouvir, ao verso do hino predileto: "Para que todos tenham vida".

O martírio, aqui e agora

Na constante de provação, que acompanha sempre a esperança, a Igreja depararia, quase um século após a condenação do modernismo por Pio X, os retrocessos pós-Vaticano II. Toda enorme tarefa da leitura da revelação, à luz dos "sinais dos tempos", aponta tanto para importância do *corpus* da história como leitura da transcendência, quanto para a luta contra a injustiça, já e agora, uma condição de ser-no-mundo de que não se exila a militância da fé.

Santo Domingo teria sofrido, na expectativa pós-conciliar, dessa superposição de tempos históricos de anúncio e do risco da toma da palavra caucionada por essa dupla cautela. Dela emergiam uma percepção e um possível "excesso de profetismo" na Teologia da Libertação, nas dificuldades objetivas de uma leitura equivocada dos movimentos sociais, a deflagrar-se na revisão dos conceitos de ordem e do limite do dever da mudança — opção em quadros de injustiça contundente como os da América Latina. "Injustiça estrutural" seria a palavra do profetismo pós-Dom Helder e da chamada de Dom Aloísio Lorscheider, independentemente do nível holístico em que uma liberação ganhasse a sua teologia e, sobretudo, enfrentasse o risco de toda práxis.

As conclusões de Santo Domingo ficam em suspenso para o futuro a médio prazo de uma América Latina que não se encaminhou, no pós-Concílio, ao mesmo enfrentamento da secularização do início do século XX, na condenação do modernismo, subseqüentemente à visão redutora do que seja a palavra da encarnação e o ouvido do cristão enquanto ser-no-mundo.

A percepção da Igreja fora do Brasil por Luciano, pós-Santo Domingo, o levaria a um testemunho de que a América Latina poderia reclamar, hoje em dia, a mesma condição de "filha primogênita da Igreja", como a que se reconhecera à França na Europa de após o Sacro Império e o advento do Estado-nação do nosso tempo.

Nesse quadro, o nosso país viveu o nervo do novo profetismo, arraigado na perspectiva conciliar, de tantas sementes a germinar ainda da *Gaudium et Spes*.

As sucessivas investiduras de Luciano no Conselho Episcopal Latino-Americano (Celam), e nas suas Vice-Presidências, trariam o peso do testemunho, agravado pelos martírios advindos da violência da mudança no continente. É o que manifestou a execução de Dom Romero em El Salvador, por entre as exasperações revolucionárias e o jogo de contradições da velha dominação colonial.

Não me lembro de identificação maior de sacerdócio de meu irmão que a despertada pelo arcebispo de San Salvador, fuzilado em plena missa, na capela do Hospital da Divina Providência, em meio a pacientes, médicos e enfermeiros. Guardo talvez o maior sentimento de dor humana, em que pude acompanhá-lo, à ocasião do atentado. Nem tinha Dom Luciano nenhuma dúvida quanto a estar diante do pastor, por excelência, da América Latina e do quanto encarnava toda a promessa — se não a estigmatização — da Igreja pós-conciliar. A certeza da santidade de Dom Romero levava o prelado de Mariana a lutar pela urgência da canonização. Os sinais dos tempos falavam pelo sacrifício cruento de Dom Romero, no eixo dos confrontos entre liberações, autoritarismos e ações afirmativas no continente, ao mesmo tempo, da maior confessionalidade ostensiva e do maior desequilíbrio social contemporâneo.

O metarreligioso

O atender, aqui e agora, ao imperativo de uma Igreja presente nas suas fronteiras mais difíceis levou o Vaticano, repetidamente, a ver em Luciano o emissário da boa vontade em regiões e povos fora da herança da cristandade e a reconhecer a Igreja como mediadora emergente de novos conflitos de nosso tempo.

As manifestações pós-falecimento de Luciano, em 27 de agosto de 2006, de tantas levas de libaneses no Brasil refletiriam sua primeira ação, há quase quinze anos, em que a ida do presidente da CNBB a Beirute e a Balbeque representara a marca de uma real internacionalização da maior conferência de bispos católicos no mundo.

A presença da Igreja no Líbano, como fala dos emigrados no Brasil, país de seu maior enraizamento no exterior, dava a Luciano um quadro ideal para a sua vocação mediadora. Somava o dom das sínteses de conferências ao negociador desses acordos ameaçados a cada instante, a selar, pelo olhar certo, a confiança periclitante até a última demão do desfecho.

O último testemunho

Não existe um testamento espiritual de Luciano, mas, cronologicamente, uma última mensagem, a de 18 de maio de 2006, fechando, em Florianópolis, o simpósio teológico "Eucaristia e Transformação da Sociedade". Parte substancial do texto já fora preparada antes do encontro, a que se somou, às suas vésperas, a conclusão, entregue em manuscrito na manhã da palestra, a insistir na gratuidade do amor divino e na exigência de experimentar o cristão esse dinamismo da entrega que espera, sem cobrar, o horizonte da transcendência.

A mensagem básica é articulada ao "sinal dos tempos" e ao que vê no mundo marcado pela continuação da desigualdade entre pobres e ricos, a que o arcebispo de Mariana adiciona uma primeira preocupação ecológica, referindo-se à ação predatória crescente contra a natureza. É instigante, entretanto, que, no reconhecimento das tensões de hoje, Luciano já se refira aos pródromos dessa "civilização do medo" e da desconfiança no "ódio" que penetra na humanidade e se manifesta no tráfico de drogas, no número de roubos e seqüestros, conflitos armados, atos de crime organizado, guerra e terrorismo. O arcebispo vai às novas fraturas da sociedade internacional, temendo o avanço das rupturas étnicas — como de Ruanda e Kosovo —, mas, sobretudo, insistindo nessa sintomática inédita da perda do sentido de vida pela juventude, a qual associa o crescimento da dependência química.

Significativamente, entretanto, dentro da sensibilidade da virada dos tempos, preocupa-se com uma sociedade alternativa à de agora e, nela, com o dever da necessária mudança de seu contexto. O dom do cristão inserido no tempo é o de "estar no mundo" sem a ele pertencer para entregar-se à sua "transformação" e à paz "diferente" da secularização e dos armistícios de violência deste começo de século.

No impacto da morte de Dom Luciano, é impossível escapar não do clichê, mas do uníssono do reconhecimento da Igreja de seu tempo. Brotada de todas as latitudes, o remate constante era o de um mesmo mote, o do despojamento radical do arcebispo, como o via a visão peregrina de cada um. A massa de depoimentos da hora não discrepa do registro, tão-só o exemplifica, na mesma acolhida, no particularismo de cada encontro, dos olhares, dos favores, dos auxílios anônimos, das entrelinhas de cada fímbria da oração em comum.

Um presente perpétuo

Nesse particular, a santidade de Luciano é essencialmente prospectiva porque o amor se multiplica, se encadeia e não se resigna. Luciano descartaria todo conformismo em bem desse imediatismo da Encarnação e de Cristo, "que nunca se deixa vencer em generosidade". Todas as leituras do seu concreto e do seu tempo excluem o aporte à vida que não fosse o de sua entrega. Da vigília intelectual, requerida pela práxis liberadora, à permanência da afetividade do encontro, como pede uma pedagogia da espera cristã.

O evocar Luciano, hoje, crescerá na memória tópica de cada um de seus gestos, devolvidos a uma plenitude de presença que se reconhece, intransitiva, sem a necessidade de moldar o retrato ao aporte da sua ação concreta, fundadora e reconhecível nesta Igreja da virada do século. Sua lembrança não corre o risco dos arrebatamentos simplificadores, que canonizam o rememorar. Mas há sempre, no próprio às entregas radicais, a elisão, os curtos-circuitos na aproximação da transcendência.

A biografia do arcebispo afasta-se da santidade como busca e não como vontade cumprida, propósito de abrasão e perene enlevo desfrutável. Não há revelações no recado de

Dom Luciano, mas tão-só reconhecimentos do óbvio do caminho, na alegria do seu percurso, muito mais até do que na expectativa de qualquer prêmio. Não se encontrariam mensagens diversas da sua palavra, mas versões múltiplas em que a lição do amor se adaptaria ao personalismo de cada interlocução.

A usura do absoluto

Em que termos a habituação continuada à entrega pode se profissionalizar, tanto o afã do absoluto depare o martelar do contingente, da controlável provação de cada dia? Até onde aí remanesce o gume da consciência, evitando a imperceptível tentação do rito? O escape vai a esse dificílimo "fazer-se escuta", a quebrar qualquer acomodação subjetiva a toda passividade à espera da graça, ou à domesticação do êxtase, no seu sutil receituário.

A doação extrema não espera nenhuma gratificação ou retorno. É o *plus* do outro, que se captura no primeiro relance, num fixar-se de encontro, confiante da certeza da acolhida, que precede a entrega do desmunido, sua sofreguidão ou sua resistência da abordagem, que muitas vezes já traz a cicatriz de frustrações prévias, ou do medo da rejeição.

No zelo — e na inevitável usura do zelo — só cabia a Luciano perscrutar o visível e o encoberto da aflição, ou do pedido, tantas vezes adivinhado, nessa capacidade de pôr à vontade quem lhe chega, entre o receio e a manipulação do pedido ou do conselho. Há como uma ética instintiva da acolhida, a que jamais é suficiente a humildade à cata da vivência, dessa demasia do seu concreto irrepetível, buscado pelo olhar partilhado, de logo, ou nunca.

Por sobre o sintoma, ou o quadro da monotonia conhecida, Luciano sempre lograria o encaixe da nova expectativa, a troca com o desmunido, como um repertório de surpresas. Na memória única de meu irmão, seria sempre possível ressuscitar cada encontro, no nervo do seu desenho e de seu abandono. Mas a reminiscência não se transforma em raconto, ou mero enternecimento, tanto o passo adiante, e logo, é o da eficiência desarmada: "Em que posso servir?".

A entrega radical não abriga a fruição sugerida pela meditação dos mistérios gozosos, por exemplo, a *delectatio*, ou esse mais de contemplação ou dos prazeres do conhecimento a que Luciano sobrepunha o estado normal de imperfeição, a que atende à vida em vigília, posta em escuta ou, sobretudo, em serviço. É possível, nesse mesmo limite, entender o quanto o amor, coextensível à entrega, se aparta do desejo e da sua possessão, no próprio da sua plenitude, que é a da intelecção radical como abertura, a abrasar o seu jogo.

Toda pergunta da modernidade, vinda da interrogação de Paulo VI quanto ao dever da busca do mais-ser do homem, imporia, a cada instante, o castigo e o vencer-se da finitude. Ou seja, a negociação entre a transcendência em ato, feita da prática a cada instante da entrega, e o quanto subsumiria da potencialidade da vida, como reconhecimento e fruição, no eixo em que o espírito repta o sensível, e este lhe dá a dimensão do ser encarnado.

A sempre temerária santidade

A perfectibilidade, nesse mesmo plano, faz as suas contas por uma formalização do *ethos*, e toda a sua infinita transação justificatória. Há uma pretervivência da plenitude que escapa do somatório dos desempenhos, em função, sempre, da última temeridade do santo em não se permitir o exílio do outro, ou a volta sobre si mesmo, e ao preço da rotinização extrema do heróico, se não da sua habituação. A relevância é busca sempre aberta, não se cumula, mas se repta. E traz como marca histórica o referir-se ao transcendente. Este é sempre aguardado pelo último despojamento, pela fruição antecipada (*in conspecto*, segundo Santo Agostinho) do "mais-ser" prometido.

A vida da entrega não é, pois, nem a da saturação, nem a da obra-prima do *achievement*, nem a do êxtase, ou mesmo a da consolação, de que se fazem os roteiros mais conspícuos da santidade. É a da simplicidade última, ganha pela meditação, que se interdita tudo que não seja o código cada vez mais repetido da intencionalidade. E, nesta, da conferência interna do despojamento, e não do fasto, do drama ou da espontaneidade caprichosa do instante.

Sobretudo, a transparência do contato com Dom Luciano não se confundia com a trivialidade nem de uma prática simplesmente aceita, nem da conquista performática de um coloquial ou de um desarme. Fazia-se do estar-junto a quem quer responder à imagística da "comunhão dos santos", intransitiva, sem contas de chegar nem de partir, nascida de um olhar muito esperado, nada por acaso, nem pretendente a qualquer outra recompensa senão a da plenitude como alegria do serviço.

Talvez Luciano nos tenha trazido ao marco desse reenvio entre amor e desejo, a fruição transposta à transcendência. Poder-se-ia vê-la como o contraponto à santidade posta em paixão, e, de imediato, a sua prova. Ou desse desvelamento-limite da contingência, que caminha pela entrega incessante ao outro, a deixar nossa condição diante de uma última evidência. É o que permite, nessa abrasão da contingência, possa o reclamo puro do absoluto experimentar-se como posse. Ou, na melhor lição mística, a esse transbordo da finitude, só possível à última confrontação da carência como radical pobreza do ser.

O passo adiante responde à visão da "terra prometida", da parusia como contemplação cumprida e satisfeita. Não é outro o percurso desse amor auto-exilado da posse, mas não menos gratificado pelo reenvio entre a certeza da promessa e o ganho, sempre, de sua ratificação no mundo. Esse abandono — todo o contrário da renúncia — foi o que vi em Luciano no minimalismo da entrega do braço à sedação, figurando a saída da contingência, como pedia o "sacrifício perfeito" — jamais fruível, sempre em oferta.

Dessa metachegada diz a comunhão dos santos, feita do impressentido, como do proclamado, num remate possível da existência plenária, quando elidimos a finitude pelo repto sempre inconcluso da esperança.

Profetismo e subcultura evangélica

A Igreja comunitária, senhora das suas liberdades, reforça-se nos seus rumos de largo prazo para a marca pastoral da modernidade e não prescinde do grande enlace litúrgico do nosso ecumenismo, a ter também em Dom Luciano um de seus primeiros entusiastas.

No enlace profético, aliás, dessa Igreja dos homens face à civilização do medo, as primeiras convocações sinodais do novo pontificado teriam o arcebispo de Mariana como o mais votado dos brasileiros. Abre-se essa enorme expectativa da palavra e do anúncio prospectivo de Roma diante do risco de que um pós-Concílio Vaticano II enfrentaria os fundamentalismos religiosos, despertados pelo desenho das novas fronteiras identitárias do Islã, aviventadas pela catástrofe do 11 de setembro.

O novo pontificado, pelo próprio nome escolhido pelo sucessor de Pedro, entremostra essa força do velho continente, em que a ordem de São Bento lembra, de imediato, o fulgor e a importância da Europa cristã, surgida de todo ímpeto monástico medieval. Fui testemunha da alegria de Luciano com a primeira encíclica de Bento XVI, de seu fascínio quanto a, justamente, começar pela mensagem do amor e da retomada da confiança universal. Refletia a primeira premonição contra os fundamentalismos religiosos e a busca desse primeiro universal do respeito aos direitos humanos como linguagem inaugural da, hoje, perdida cultura da paz. E até onde esse anúncio se faz em função do verdadeiro sacramental que representou o impacto mundial da morte de João Paulo II?

O novo outro — o perigo das catacumbas

Até onde, também, esse sinal, definido pela manifestação única e mundial em torno de uma liderança religiosa, abre a enorme responsabilidade à presença intercultural da Igreja de nossos dias? E em que termos é pelo desarme do medo que, neste momento, começa, até mesmo antes da luta contra a miséria universal, a acolhida do primeiro próximo no desvalimento de nossos dias?

Dom Helder manifestava, profeticamente, o imperativo de uma Igreja de volta às catacumbas, para fazer frente às contradições objetivas em que a religião da ordem se apóia num mero *status quo*, diante da efetiva esperança do anúncio encarnado pelos desmunidos. Luciano nos deixou a palavra, o entoar e o sentido único em que, hoje, é pela paz que se fundem, ao mesmo tempo, as mensagens da fé e da esperança num mundo de regressão tão impressentida à etapa do Vaticano II. Mantinham-se ainda as premissas de um anúncio homogêneo às verdades evangélicas antes dos terrorismos; das afirmações identitárias transformadas em "guerra de religião"; ou sobretudo de um cristianismo que assumisse as marcas de um império hegemônico, pelo neoconservatismo americano, por sua vez, compartilhado entre as suas facções políticas dominantes.

A força e a importância única dos próximos anos irão aos reclamos de um pluralismo de anúncio para além, inclusive, da visão missionária em que o testemunho da diferença — e não de um triunfalismo cristão — se transforma em imperativo decisivo daquele mais-ser nosso, na história em que Paulo VI identificou o humanismo da Encarnação. Não há a falar tão-só em testemunho "purificado" ou das catacumbas de uma Igreja no seu profetismo de agora, mas nessa Igreja mãe-mestra, do porte das diferenças entre um diálogo das civilizações em que toda a revalorização do ecumenismo encontra a sua urgência. A filha, hoje, mais importante, entre as igrejas nacionais, a que hoje exprime a nossa CNBB, ganha um perfil maior que os relevos regionais nas vozes de sua peregrinação na história dos desmunidos de todo o mundo, a perfazer uma mesma expectativa e uma mesma esperança. No anonimato como na alegria, na humildade do que construa hoje o povo de Deus, fica a entrega radical de Dom Luciano, *In Nomine Iesu.*

Impresso na gráfica da
Pia Sociedade Filhas de São Paulo
Via Raposo Tavares, km 19,145
05577-300 - São Paulo, SP - Brasil - 2007